CAMPUS

DEUTSCH ALS FREMDSPRACHE

DEUTSCH B2/C1

SCHREIBEN

Patricia Buchner

Herausgegeben von
Oliver Bayerlein

Hueber Verlag

Die Beispiele für Vorlesungen, Seminare etc. in diesem Buch entsprechen der universitären Praxis.
Die Namen von Dozentinnen/Dozenten und von Studierenden sowie die genannten Seminare sind aber frei erfunden.

3. 2. 1.   Die letzten Ziffern
2019 18 17 16 15   bezeichnen Zahl und Jahr des Druckes.
Alle Drucke dieser Auflage können, da unverändert, nebeneinander benutzt werden.
1. Auflage
© 2015 Hueber Verlag GmbH & Co. KG, München, Deutschland
Redaktion: Andrea Haubfleisch, Frankfurt am Main
Umschlaggestaltung: Sieveking · Agentur für Kommunikation, München
Layout und Satz: Sieveking · Agentur für Kommunikation, München
Druck und Bindung: Himmer AG, Augsburg
Printed in Germany
ISBN 978-3-19-101003-4

Art. 530_09856_001_01

GRUNDLAGEN
Den Schreibprozess vorbereiten

Seite 7

Schreiben lernt man durch Schreiben. Schreiben Sie in Ihrem Alltag so oft wie möglich auf Deutsch.

Überblick und Vorbereitung
Zusammenfassung – Exzerpt

Seite 23

Erleichtern Sie sich das Verfassen wissenschaftlicher Texte, indem Sie sich einen Überblick über den Inhalt verschaffen und das Schreiben effizient vorbereiten.

Produktion
Hausarbeit – Abstract – Handout

Seite 37

Einen Text produzieren heißt, Gedanken zu einem Thema – die eigenen und die anderer – schriftlich mit passenden Worten in einen sinnvollen Zusammenhang zu bringen.

Dokumentation
Protokoll – Praktikumsbericht

Seite 71

Zuhören, beobachten, notieren, organisieren, komprimieren, formvollendet zu Papier bringen = dokumentieren.

Inhalt

Den Schreibprozess vorbereiten   GRUNDLAGEN

Assoziogramme verwenden · Formelle und informelle Texte unterscheiden · Vorüberlegungen anstellen · Die Adressaten definieren · Das Thema eingrenzen · Gezielt recherchieren · Die Besonderheiten schriftlicher Sprache beachten · Fachwörter sinnvoll verwenden · Sätze verständlich formulieren · Konnektoren korrekt verwenden · Literaturquellen unterscheiden · Eine Recherche beginnen · In einer Bibliothek recherchieren · Literatur im Internet suchen · Gefundene Literatur bearbeiten · Literatur korrekt angeben · Literatur belegen · Abkürzungen verwenden · Plagiate vermeiden

Zusammenfassung – Exzerpt   *Überblick und Vorbereitung*

Die Funktion einer Textzusammenfassung verstehen · Eine Zusammenfassung stilsicher formulieren · Wörtliche Rede wiedergeben · Lesetechniken anwenden · Wichtige Informationen finden · Eine Einleitung formulieren · Den Hauptteil verfassen · Einen Schluss schreiben · Die Funktion eines Exzerpts verstehen · Texte verdichten · Ein Exzerpt strukturieren · Exzerpte grafisch gliedern · Literaturangaben anfertigen · Seitenzahlen und Kapitelüberschriften notieren · Eigene Kommentare festhalten · Eine Vorauswahl treffen · Hauptaussagen sinnvoll zusammenfassen

Hausarbeit – Abstract – Handout *Produktion*

Die Funktion einer Hausarbeit verstehen · Wissenschaftlichen Schreibstil verwenden · Eine Gliederung erstellen · Nichtlinear schreiben · Texte paraphrasieren und Paraphrasen kennzeichnen · Zitate richtig verwenden · Kapitel und Absätze inhaltlich verbinden · Bildunterschriften formulieren · Abbildungen und Tabellen beschreiben und auf sie verweisen · Die Funktion einer Einleitung verstehen · Die Einleitung und den Schluss schreiben · Das Inhalts- und Literaturverzeichnis erstellen · Abbildungs- und Tabellenverzeichnis erstellen · Ein Deckblatt gestalten · Den Text auf Fehler kontrollieren · Die Funktion eines Abstracts verstehen und es inhaltlich gestalten · Die Funktion eines Handouts verstehen und es gestalten · Ein Handout formgerecht anfertigen und hörerfreundlich formulieren

Protokoll – Praktikumsbericht *Dokumentation*

Die Funktion eines Protokolls verstehen · Protokollarten unterscheiden · Effektiv mitschreiben · Die Mitschrift organisieren · Ein Protokoll strukturieren · Den Anhang sinnvoll nutzen · Aus der Mitschrift ein Protokoll erstellen · Ein Protokoll formulieren · Den Aufbau eines Praktikumsberichts verstehen · Formell richtig schreiben

Vorwort

Die Reihe **Campus Deutsch** ist für Studierende am Übergang der Sprachausbildung zum eigentlichen Fachstudium konzipiert. Das Kursmaterial soll die Lernenden in die Lage versetzen, den Beginn ihres Fachstudiums (1./2. Semester) sprachlich und methodisch zu bewältigen.

In vier Bänden werden daher zum einen grundlegende Kompetenzen für das Fachstudium vermittelt und geübt:

> effektives **Lesen** von wissenschaftlichen Texten
> sachgerechtes und fesselndes **Präsentieren** von wissenschaftlichen Inhalten sowie überzeugendes **Diskutieren**
> verständliches **Schreiben** von wissenschaftlichen Textsorten
> ökonomische **Mitschrift** von Vorlesungen sowie aktives, strukturierendes **Hören** von wissenschaftlichen Vorträgen und Fachdiskussionen

Um ein Studium in einem deutschsprachigen Land erfolgreich bestehen zu können, sind zum anderen aber auch kulturelle Techniken notwendig, die jenseits der Sprache liegen. Daher bilden methodische Fertigkeiten neben den sprachlichen Kompetenzen einen weiteren Schwerpunkt: die Kenntnis von verschiedenen Wörterbüchern und Lexika, ein angemessenes Verhalten während der Präsentation vor Fachpublikum, der passende Schreibduktus beim Verfassen von Fachtexten – um nur einige zu nennen.

Das sprachliche Niveau der Reihe orientiert sich am Niveau B2/C1 des Europäischen Referenzrahmens. Auf dieser Grundlage werden Lese- und Hörtexte angeboten sowie Schreib- und Präsentationsaufgaben gestellt. Die Texte und Aufgaben entstammen dem geistes- und naturwissenschaftlichen Fächerkanon, wobei darauf geachtet wurde, dass sich die Inhalte in einem populärwissenschaftlichen Rahmen bewegen, sodass keine sehr speziellen Fachkenntnisse für das Verständnis notwendig sind.

Zu **Campus Deutsch** finden Sie im Internet unter www.hueber.de/campus-deutsch Lehrerhandbücher mit praktischen Tipps für den Einsatz im Unterricht. Mit den ebenfalls dort vorhandenen extensiven Lösungen kann **Campus Deutsch** auch zum Selbststudium verwendet werden.

Der Band **Schreiben** vermittelt vielfältige Schreibstrategien, die den Lernenden das erfolgreiche Verfassen wissenschaftlicher Textsorten ermöglichen. Im ersten Kapitel werden grundlegende Techniken zur effektiven **Vorbereitung des Schreibprozesses** vorgestellt und geübt. In den folgenden Kapiteln wird das Schreiben der Textsorten **Zusammenfassung**, **Exzerpt**, **Hausarbeit**, **Abstract**, **Handout**, **Protokoll** und **Praktikumsbericht** schrittweise erarbeitet. Anhand vielfältiger Aufgaben werden Funktion und Schreibanlass der Textsorten vorgestellt, das Verfassen der Texte wird mithilfe wirklichkeitsnaher Übungen trainiert. Zahlreiche Textbeispiele vermitteln essenzielle Sprachmittel und grammatische Strukturen – die Grundlage für das Verfassen inhaltlich und formal gut strukturierter Texte. Die Kapitel, in denen die verschiedenen Textsorten behandelt werden, können unabhängig voneinander bearbeitet werden, je nach Interesse der Studierenden Ihres Kurses.

Autorin und Verlag wünschen Ihnen viel Spaß und Erfolg mit **Campus Deutsch**.

Den Schreibprozess vorbereiten

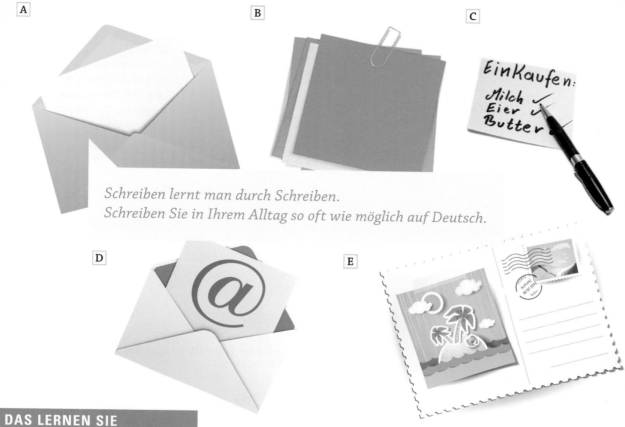

Schreiben lernt man durch Schreiben.
Schreiben Sie in Ihrem Alltag so oft wie möglich auf Deutsch.

DAS LERNEN SIE

- Assoziogramme verwenden
- Formelle und informelle Texte unterscheiden
- Vorüberlegungen anstellen
- Die Adressaten definieren
- Das Thema eingrenzen
- Gezielt recherchieren
- Die Besonderheiten schriftlicher Sprache beachten
- Fachwörter sinnvoll verwenden
- Sätze verständlich formulieren
- Konnektoren korrekt verwenden
- Literaturquellen unterscheiden
- Eine Recherche beginnen
- In einer Bibliothek recherchieren
- Literatur im Internet suchen
- Gefundene Literatur bearbeiten
- Literatur korrekt angeben
- Literatur belegen
- Abkürzungen verwenden
- Plagiate vermeiden

Einstieg

1 Sehen Sie die Bilder an und notieren Sie die passenden Textsorten.

....

....

2 Welche Textsorten kennen Sie noch? Notieren Sie.

3 Was für Texte haben Sie letzte Woche geschrieben? Notieren Sie.

....

Über Schreiben und Texte nachdenken

ASSOZIOGRAMME
VERWENDEN

1 Was fällt Ihnen zum Thema *Schreiben* ein? Sammeln Sie möglichst viele Begriffe und erstellen Sie ein Assoziogramm wie im Beispiel.

Wenn Sie das Schreiben eines Textes vorbereiten, können Sie Assoziogramme verwenden, um erste Ideen zum Thema zu sammeln. Notieren Sie einen für Ihr Thema zentralen Begriff in der Mitte und schreiben Sie alles auf, was Ihnen zu diesem Begriff einfällt. Zu den neuen Wörtern ergänzen Sie wiederum neue Einfälle usw. So erschaffen Sie ein Gerüst, an dem Sie Ihre Texte dann aufbauen können.

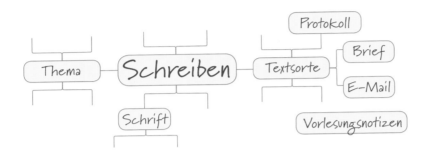

2 Notieren Sie mithilfe der gesammelten Begriffe in ein bis zwei Sätzen, was *Schreiben* bedeutet.

....

....

....

3 Welchen Bezug haben diese Bilder zu den Begriffen *Schreiben* oder *Text*? Überlegen Sie zu zweit und notieren Sie Ihre Vermutungen.

> Bild A: Im Labor fertigt man Protokolle an. ....

> Bild B: ....

> Bild C: ....

> Bild D: ....

> Bild E: ....

4 Wo im folgenden Text werden die Regeln eines formellen Textes miss-achtet? Markieren Sie diese Stellen.

Anrede nicht korrekt

Hallo, Frau Professor!

Morgen kann ich nicht zu Ihrem Seminar kommen :-(, obwohl es mir gut gefällt. Aber leider habe ich einen Zahnarzttermin – genau dann, wann auch das Sem. ist. Sorry!

Ach so, mir fällt noch ein, dass ich mal mit Ihnen über das Thema von meiner Hausarbeit sprechen wollte. Kann ich mal bei Ihnen vorbeikommen? Es dauert wahrscheinlich nicht lange. Wann hätten Sie denn mal Zeit?

Tschüs

David

> ## FORMELLE UND INFORMELLE TEXTE UNTERSCHEIDEN
>
> Wissenschaftliche Arbeiten, Briefe und E-Mails an Dozen-tinnen/Dozenten, Anträge u. a. sind formelle Texte, für die Sie festgelegte Regeln und Formen einhalten müssen:
> - höfliche Sprachebene
> - keine Umgangssprache und keine emotionalen Wendungen
> - Sachbezogenheit
> - korrekte Rechtschreibung und Grammatik
> - korrekte Anredeformen.
>
> Informelle Texte dagegen wer-den zu privaten Zwecken geschrieben und können daher freier formuliert werden.

5 Ordnen Sie die folgenden Begriffe und Aussagen formellen und informellen Texten zu.

~~förmlich~~   sachliche Argumentation   formlos   *ich* und *du*

man oder *wir* und *Sie*   Ausdruck von Gefühlen   spontan

formell: förmlich ....

informell: ....

6 Welche formellen und informellen Textsorten sind für Ihr Studium relevant? Notieren Sie diese Textsorten.

formell	informell
E-Mail an Kursleiter	Vorlesungsnotizen

7 Mit welchen Textsorten haben Sie bereits Erfahrung? Notieren Sie diese Textsorten.

....

8 Welche dieser Textsorten fanden Sie eher schwer, welche eher leicht? Ordnen Sie die Textsorten zu.

eher schwer: ....

eher leicht: ....

Das Schreiben vorbereiten

1 *Das Schreiben beginnt bereits vor dem Schreiben.* **Was ist mit dieser Aussage gemeint? Notieren Sie Ihre Vermutungen.**

....

....

2 Lesen Sie die folgenden Texte und ergänzen Sie die Tabelle in Stichworten.

A

An: g.kaiser@mmc-ob.de
Betreff: AW: Informationen zu Sprachkursen

Sehr geehrte Frau Kaiser,
vielen Dank für Ihre E-Mail.
Gerne schicke ich Ihnen die Informationen
zu unseren Sprachkursen.
Mit freundlichen Grüßen
Martin Schneider

B

An: Heiko
Bin in der Mensa.
Wo bist du? LG

C

- Milch kaufen
- Anne anrufen
- zum Seminar anmelden
- Bücher bestellen

D

2. SPRACHEN DER ERDE

2.1 Sprachfamilien

Auch wenn es auf der Erde je nach Zählweise 2500 bis 5500 verschiedene Sprachen gibt, kann man diese verschiedenen Sprachen in Sprachfamilien zusammenfassen. Die deutsche Sprache gehört z. B. zur Sprachfamilie der indoeuropäischen Sprachen, einer der größten Sprachfamilien. Weitere Sprachfamilien sind ...

Adressat	Anlass	Ziel	Textsorte
A: eine Kundin	Beantwortung einer Anfrage	Information der Kundin	E-Mail
B:			
C:			
D:			

VORÜBERLEGUNGEN ANSTELLEN

Überlegen Sie sich bereits vor dem Schreiben einige Parameter:
- **Adressat**: Für wen schreiben Sie (z. B. Wissenschaftler, Studierende, für sich selbst)?
- **Anlass**: Warum schreiben Sie (um einen Leistungsnachweis zu erhalten, um Ihre Gedanken mitzuteilen)?
- **Ziel**: Was wollen Sie mit Ihrem Text erreichen (jemanden überzeugen, sich an etwas erinnern)?
- **Textsorte**: Welche Art von Text schreiben Sie (Seminararbeit, E-Mail)?

Nach diesen Bedingungen richten sich die sprachliche Gestaltung und die äußere Form des Textes.

DIE ADRESSATEN DEFINIEREN

Beim Schreiben im Studium können zwei Gruppen von Texten unterschieden werden:
- Texte, die man für sich selbst schreibt, um Inhalte zu erarbeiten, festzuhalten und zu erinnern.
- Texte, die man für andere verfasst, d. h. in erster Linie für Dozentinnen/Dozenten und andere Studierende. Mit ihnen zeigt man, dass man wissenschaftlich arbeiten kann.

In beiden Fällen bestimmen die Erwartungen des Adressaten die Textsorte.

3 In einem geografischen Seminar über den *Klimawandel* sollen Sie eine Präsentation zu *Aspekten der Folgen des Klimawandels* halten und anschließend diese Präsentation zu einer Seminararbeit ausarbeiten. Lesen Sie die Titel einiger Buch- und Aufsatzveröffentlichungen und kreuzen Sie an, welche Titel für das Thema relevant sein könnten.

> Klimawandel und Gerechtigkeit. Wen trifft der Klimawandel? ○
> Die Erhöhung des Meeresspiegels durch den Klimawandel. ○
> Climate Change – menschengemacht? Eine kritische Analyse. ○
> Erneuerbare Energien und Nachhaltigkeit. Wege aus dem Klimawandel. ○
> Land unter Wasser. Migration und Klimawandel. ○
> Wer soll das bezahlen? Die wirtschaftlichen Folgen des Klimawandels. ○
> Malaria auf dem Vormarsch. Brauchen wir Tropenmediziner in Europa? ○

4 Was wissen Sie bereits zu dem Thema? Notieren Sie Stichwörter.

....

....

....

5 Was ist das Ziel Ihrer Präsentation und Ihrer Seminararbeit? Versuchen Sie, das Ziel möglichst konkret und detailliert zu beschreiben.

Präsentation: ....

....

Seminararbeit: ....

....

6 Notieren Sie Fragen, die Ihre Adressaten (Studierende in Ihrem Seminar) wahrscheinlich zu dem Thema haben werden.

....

....

....

....

7 Welche der Fragen von Aufgabe 6 können Sie aufgrund Ihres Vorwissens beantworten? Für welche Fragen müssen Sie noch Informationen suchen? Markieren Sie die verschiedenen Fragen mit Grün und Rot.

8 Was wäre jetzt der nächste Schritt auf dem Weg zu Ihrer Präsentation und Seminararbeit? Notieren Sie.

Den Sprachstil analysieren

1 **Welche Unterschiede gibt es zwischen gesprochener und schriftlicher Sprache? Notieren Sie Ihre Vermutungen.**

gesprochene Sprache	geschriebene Sprache
Sätze unvollständig	Sätze vollständig

2 **Sehen Sie die Bilder an. Welche „Hilfsmittel" der mündlichen Sprache fehlen bei der schriftlichen Sprache? Ergänzen Sie den Satz.**

In der schriftlichen Kommunikation ist es nicht möglich,

3 **Wodurch wird das Fehlen dieser Hilfsmittel in der schriftlichen Sprache kompensiert? Überlegen Sie zu zweit und notieren Sie Ihre Ideen.**

4 **Lesen Sie den Text und markieren Sie die Textstellen, die nicht den Regeln der Schriftsprache entsprechen.**

Die Entwicklung der Technik wird durch Personen ermöglicht, die sich neue Maschinen und sowas ausdenken. Einige Erfinder sind super berühmt, z. B. Thomas Alva Edison (Birne) oder Johannes Gutenberg (Buchdruck). Die meisten Erfinder aber bleiben unbekant oder werden schnell wieder vergessen, weil ihre Erfindungen sind nicht so wichtig für die Menschheit wie der Buchdruck. Manche Erfindungen sind eigentlich gut, aber sie werden dann später für einen schlechten Zweck benutzt, wie z. B. das Dynamit.

5 **Welche Regeln wurden verletzt? Kreuzen Sie an.**

> Rechtschreibung   ○
> Zeichensetzung   ○
> Grammatik   ○
> Sprachstil   ○
> Verständlichkeit   ○

DIE BESONDERHEITEN SCHRIFTLICHER SPRACHE BEACHTEN

Schreiben Sie Ihre Texte so, dass man sie gut lesen und verstehen kann.

- Schreiben und argumentieren Sie verständlich. Leser können – anders als Gesprächspartner – nicht direkt nachfragen, wenn sie etwas nicht verstehen. Es entfallen auch zusätzliche Interpretationshilfen wie Mimik und Gestik.
- Der Sprachstil sollte der Textsorte angemessen sein, z. B. sollten Sie keine Umgangssprache in einer Hausarbeit verwenden.
- Lange, verschachtelte Sätze sind kein Beweis für Wissenschaftlichkeit. Schreiben Sie kurze Sätze. So vermeiden Sie Fehler.
- Achten Sie darauf, dass Rechtschreibung, Zeichensetzung und Grammatik den gängigen Regeln entsprechen.

6 Markieren Sie die Adjektive, die Ihrer Meinung nach zum Sprachstil von wissenschaftlichen Texten passen.

spannend   nüchtern   unterhaltsam   klar   strukturiert   eindeutig

nachvollziehbar   kurzweilig   sachlich   emotional   lustig

7 Welche der Wörter würden Sie bei den folgenden Sätzen als Fachwörter akzeptieren, bei welchen würden Sie die deutsche Entsprechung vorziehen? Kreuzen Sie an.

> Aus einem medizinischen Lehrbuch:
○ Intravenöse Injektionen
○ Spritzen in eine Vene   > wirken im Allgemeinen schneller und besser

als   ○ oral gegebene Medikamente,
     ○ Medikamente, die man schluckt,   > da weniger   ○ physiologische
                                                      ○ körperliche

Schranken überwunden werden müssen.

> Aus dem Vorlesungsskript von Prof. Delius:

In der Soziologie wird u. a. über die soziale   ○ Integration und Desintegration
                                                ○ Eingliederung und Ausgliederung   > von

gesellschaftlichen Teilgruppen, über   ○ fehlende soziale Egalität
                                       ○ soziale Ungleichheit   > und daraus entstehende Konflikte

sowie über   ○ die soziale Transition
            ○ den sozialen Wandel   > geforscht.

8 Einige dieser Fachwörter gibt es vielleicht in ähnlicher Form auch in Ihrer Muttersprache. Was glauben Sie: Welche Gefahr für das Verständnis könnte diese Ähnlichkeit mit sich bringen?

....

9 Lesen Sie die beiden Textabschnitte. Welcher Abschnitt ist leichter verständlich? Begründen Sie Ihre Antwort.

A Die Synchronisation von Fernseh- und Kinoproduktionen stellt für die meisten Menschen in Deutschland, wo der überwiegende Teil der gezeigten Filme und Serien aus dem (vor allem englischsprachigen) Ausland stammt, inzwischen eine Selbstverständlichkeit dar, weswegen sich ein Zuschauer selten Gedanken darüber macht, dass es sich bei der Stimme, die er hört, gar nicht um die Originalstimme des Schauspielers handelt, sondern um die einer anderen Person.

B Die Synchronisation von Fernseh- und Kinoproduktionen stellt für die meisten Menschen in Deutschland eine Selbstverständlichkeit dar. Der überwiegende Teil der gezeigten Filme und Serien kommt aus dem (vor allem englischsprachigen) Ausland. Aufgrund der Gewöhnung an die Synchronisation macht sich ein Zuschauer selten Gedanken darüber, dass er gar nicht die Originalstimme des Schauspielers hört, sondern die Stimme einer anderen Person.

Text _____ ist besser zu verstehen, weil _____

FACHWÖRTER SINNVOLL VERWENDEN

In Ihrem Fachgebiet gibt es bestimmte Fachwörter, die ganz spezifisch verwendet werden. Machen Sie sich mit diesen Fachwörtern vertraut und verwenden Sie sie korrekt. Manchmal wird das Verständnis dieser Fachwörter für Sie sehr einfach sein. Vermeiden Sie jedoch eine unmotivierte Anhäufung von Fremdwörtern. Dadurch wird Ihr Text schwer verständlich.

SÄTZE VERSTÄNDLICH FORMULIEREN

Wenn Sie in einer Fremdsprache schreiben, sollten Sie lange Satzkonstruktionen mit mehreren Nebensätzen vermeiden und lieber mehrere kürzere Sätze formulieren. Das macht den Text sowohl für Sie als auch für Ihre Leser klarer und verständlicher.

Satzverbindungen verstehen und korrekt anwenden

1 Welche Satzverbindungen (*Konnektoren*) kennen Sie? Sammeln Sie möglichst viele und ergänzen Sie die Grafik.

2 Ordnen Sie den logischen Verbindungen die passende Beschreibung zu.

Angabe eines Grunds   Ausdruck zeitlicher Verhältnisse   Verbund von Wörtern und Satzteilen

Kennzeichnung eines Vergleichs   Nennung eines Gegengrunds   Angabe einer Bedingung

Ausdruck eines Gegensatzes   Nennung der Art und Weise   Ausschluss von Satzteilen

Ausdruck eines Zwecks   Angabe einer Folge / eines Resultats

logische Verbindung	Beschreibung
kopulativ (*und*)	
disjunktiv (*oder*)	
kausal (*weil*)	Angabe eines Grunds
konditional (*falls*)	
konsekutiv (*folglich*)	
konzessiv (*obwohl*)	
adversativ (*aber*)	
final (*damit*)	
modal (*indem*)	
vergleichend (*wie*)	
temporal (*während*)	

> **KONNEKTOREN KORREKT VERWENDEN**
>
> Konnektoren verbinden Wörter, Wortgruppen und Sätze logisch miteinander. Durch diese logische Verbindung entsteht eine bestimmte Bedeutung. Die richtige Verwendung dieser Konnektoren ist daher für das Verständnis Ihrer Aussage sehr wichtig.

3 Schreiben Sie mit den angegebenen Konnektoren und Begriffen Sätze wie im Beispiel. Notieren Sie dazu die Art der Verbindung. Benutzen Sie dafür ein gesondertes Blatt Papier.

weil   damit   außer wenn   obwohl   um   wenn   solange

Sabine – krank / nicht krank – sein/werden – viel Sport machen

1. Sabine wird nicht krank, weil sie viel Sport macht. (kausal)

Literatur recherchieren und auswerten

1 Ordnen Sie die Buchkategorien den passenden Stichpunkten zu. Doppelnennungen sind möglich.

~~Fachlexikon~~ Handbuch Einführung Bibliografie

Sammelband Monografie Fachzeitschrift Jahrbuch

Das wollen Sie herausfinden:	Buch:
Erste Informationen zu Ihrem Thema	• Fachlexikon
Überblick über Aspekte Ihres Themas	
Bücher und Aufsätze zu Ihrem Thema	
Detaillierte Informationen zu Aspekten Ihres Themas	
Beiträge von verschiedenen Autoren zu Aspekten Ihres Themas	
Neueste Beiträge zu Aspekten Ihres Themas	

LITERATURQUELLEN UNTERSCHEIDEN

Mit *Quellen* werden die Texte bezeichnet, deren Inhalte in wissenschaftlichen Arbeiten verwendet bzw. zitiert werden. Es gibt unterschiedliche Buchkategorien, die als Quellen oder zumindest als erste Informationsmöglichkeit dienen können.

- Einen Überblick über ein Thema können Sie sich mit **Fachlexika**, **Handbüchern** und **Einführungen** verschaffen.
- Eine Übersicht über die Literatur zu einem bestimmten Sachgebiet bieten **Bibliografien**.
- Eine ausführliche Behandlung eines spezifischen Themas findet man in **Monografien**.
- Die Darstellungen unterschiedlicher Autoren zu einem Thema werden in **Sammelbänden** zusammengeführt.

Besonders wichtig sind Periodika, also **Fachzeitschriften** oder **Jahrbücher**, da hier der aktuelle Forschungsstand dargestellt wird.

2 In welchen Büchern finden Sie Informationen zum Thema *Die Entstehung von Wolken*? Was meinen Sie? Kreuzen Sie an und begründen Sie Ihre Entscheidung im Kurs.

EINE RECHERCHE BEGINNEN

Ein erster Ausgangspunkt für die Literaturrecherche ist Ihr/e Dozent/in. Sie/Er kann Ihnen die grundlegende Literatur zu Ihrem Thema nennen.

Oft gibt es auch einen sogenannten *Handapparat*, den Ihr/e Dozent/in zusammengestellt hat. Dieser steht an einem bestimmten Ort in der Bibliothek und beinhaltet wichtige Literatur für das Thema der Veranstaltung.

3 Ordnen Sie die Suchkategorien den passenden Beispielen zu.

Titel	Buchner, Patricia
Autor	Campus Deutsch Schreiben
Jahr	Hueber Verlag
Verlag	01/RE-2345.1
Serie/Reihe	978-3-19-131003-5
ISBN	Schreiben
Ganzer Titel	2015
Schlagworte	Campus Deutsch
Signatur	Schreiben, Deutsch, Fremdsprache

IN EINER BIBLIOTHEK
RECHERCHIEREN

Um in der Bibliothek Literatur zu finden, nutzt man am besten den alten Schlagwortkatalog oder das elektronische System (OPAC). Geben Sie passende Schlagworte ein, also Suchbegriffe, die Ihr Thema treffend beschreiben. Wenn Ihre Suchanfrage sehr viele Ergebnisse liefert, sollten Sie die Suche weiter einschränken, indem Sie spezifischere Begriffe benutzen. Ergibt Ihre Suche nur sehr wenige Treffer, versuchen Sie es mit Wörtern, die eine ähnliche Bedeutung haben (Synonyme).

4 Suchen Sie im OPAC einer Universitätsbibliothek Literatur zu einem der folgenden Themen. Mit welchen Schlagworten haben Sie etwas gefunden? Tragen Sie Ihre erfolgreiche Suchanfrage in die Maske ein.

> Essen, das im Müll landet
> Denkprozesse bei hochintelligenten Menschen
> Entstehung von Krankheiten durch das Wetter

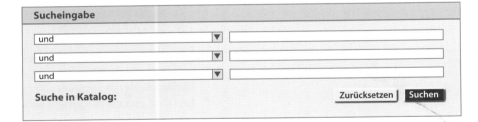

5 Vergleichen Sie im Kurs die Ergebnisse Ihrer Suchanfrage im Kurs. Welche Begriffe waren am treffendsten?

1. OPAC der Universität ....

2. Thema: ....

3. Suchbegriff: ....

4. Anzahl der relevanten Titel: ....

5. Titel der treffendsten Ergebnisse: ....

....

....

....

....

TIPP

Citavi ist ein Computerprogramm, mit dem Sie Ihre Literatur erfassen, verwalten und organisieren können. Unter anderem bietet *Citavi* folgende Möglichkeiten:

• Onlinerecherche in verschiedenen Literaturdatenbanken
• Suche und Import von bibliografischen Daten anhand der ISBN-Nummer
• Erstellen von Literaturlisten
• Organisation Ihrer Exzerpte
Eine kostenlose Version können Sie auf der folgenden Seite herunterladen:
www.citavi.de/de/download.html
Zahlreiche Universitäten bieten ihren Studierenden eine kostenlose Lizenz für die erweiterte Version an. Die Liste der Universitäten finden Sie hier:
www.citavi.de/de/studierende. html

6 Lesen Sie die Kommentare der Studentinnen und Studenten zum Thema *Internetrecherche*. Welchen stimmen Sie zu? Kreuzen Sie an.

> „Wenn bei einem Text im Internet dabeisteht, wer es geschrieben hat, kann man den Text benutzen." (*Maja, Physikstudentin*) ◯

> „Bevor ich im Internet etwas recherchiere, überlege ich mir erst einmal ein paar passende Wörter, mit denen ich suchen kann." (*Ian, Germanistikstudent*) ◯

> „Informationen von Wikipedia benutze ich nur dazu, mich grob über ein Thema zu informieren." (*Line, Jura-Studentin*) ◯

> „Elektronische Texte sind echt praktisch, da verschwendet man kein Papier!" (*Gero, Kunststudent*) ◯

7 Suchen Sie im Internet Literatur zu einem der Themen von Seite 16, Aufgabe 4. Dokumentieren Sie auf einem gesonderten Blatt Papier Ihre Suche, indem Sie die folgenden Fragen kurz beantworten.

> Mit welcher Suchmaschine haben Sie gesucht?
> Welche Suchwörter haben Sie benutzt?
> Wie ist die Handhabung der Suchmaschine?
> Gab es viele oder wenige Ergebnisse?
> Haben Sie brauchbare Ergebnisse bekommen?
> Welcher Art waren die Ergebnisse (PDF-Dokumente, Literaturlisten etc.)?

8 Führen Sie nun noch einmal eine Suche durch. Verwenden Sie dieses Mal die folgenden Suchmaschinen. Gibt es einen Unterschied zu der Suche bei Aufgabe 7? Notieren Sie Ihre Beobachtungen.

> *Metager* (metager.de/neu/)
> *Google Scholar* (scholar.google.de/)
> *Karlsruher Virtueller Katalog* (www.ubka.uni-karlsruhe.de/kvk.html)
> *CiteSeer* (citeseerx.ist.psu.edu/index)

....

....

....

....

9 Wie können Sie die im Internet oder in Bibliotheken gefundene Literatur bearbeiten? Ergänzen Sie die Grafik.

LITERATUR IM INTERNET SUCHEN

Auch für die Literatursuche im Internet müssen Sie passende Suchwörter finden und diese gegebenenfalls spezifizieren.

- Wichtig ist, dass Sie gefundene Dokumente nicht unkritisch verwenden, sondern sich immer über die Autoren und deren fachlichen Hintergrund informieren. Ist dies nicht möglich, sollten Sie davon absehen, dieses Dokument zu nutzen (z. B. *Wikipedia*-Artikel).
- Bei Dokumenten, die es nur in elektronischer Form gibt, z. B. Artikel elektronischer Zeitschriften, sollten Sie den Text immer ausdrucken oder lokal speichern, für den Fall, dass die elektronische Version später nicht mehr zur Verfügung steht.

GEFUNDENE LITERATUR BEARBEITEN

Um die relevanten Inhalte der gefundenen Literatur herauszuarbeiten, können Sie unterschiedliche Methoden anwenden.

- Bei Texten, die Sie aus Büchern kopiert haben, können Sie die betreffenden Stellen (farbig) markieren und Notizen dazuschreiben.
- Zwei sehr effektive Methoden, Literatur zu bearbeiten, sind das Zusammenfassen und das Exzerpieren. (Wie genau Sie Zusammenfassungen und Exzerpte erstellen, lernen Sie im Kapitel *Überblick und Vorbereitung*.)

Vermerken Sie bei allen Notizen, zu welchem Buch Sie diese Notiz gemacht haben. Wenn Sie wörtliche Passagen übernehmen, schreiben Sie unbedingt auch die Seite auf, von der Sie das Zitat übernommen haben.

Bibliografische Angaben machen

1   Markieren und benennen Sie die Bestandteile der Literaturangabe.

Autorin

(OLBERTS, Verena): Quallen und ihr Lebensraum. In: Herbst, Karl;
Gruber, Stefan (Hg.): *Die Weltmeere : Ihre Pflanzen- und Tierwelt.*
Bern: Schaum Verlag 2013, S. 47–51

2   Ordnen Sie die folgenden Quellenarten den passenden bibliografischen Angaben zu.

A: Internet   B: Monografie   C: Zeitung   D: Sammelband

E: Zeitschrift

☐ MUSOLFF, Andreas: Sind Tabus tabu? Zur Verwendung des Wortes Tabu im öffentlichen Sprachgebrauch. In: *Sprache und Literatur in Wissenschaft und Unterricht 60* (1987), S. 10–18

☐ WEBER, Cristian: *Geld schafft Vertrauen.* www.sueddeutsche.de/wissen/kooperation-geld-schafft-vertrauen-1.1755613.htm (Stand: 09.11.2013)

☐ MÜLLER, Burkhard: Universität und Interkulturalität. In: NICKLAS, Hans; MÜLLER, Burkhard; KORDES, Hagen (Hg.): *Interkulturell denken und handeln : Theoretische Grundlagen und gesellschaftliche Praxis.* Frankfurt : Campus, 2006, S. 101–108

☐ NÜCKE, Erwin; REINHARD, Alfred: *Physikaufgaben für technische Berufe.* 31., aktualisierte Auflage. Hamburg : Handwerk und Technik, 2013

☐ ROBERTS, Leslie: Die Rückkehr der Schluckimpfung. In: *Süddeutsche Zeitung* (12.11.2013), Nr. 261, S. 16

3   Wie viele Fehler finden Sie in den folgenden Literaturangaben? Markieren und korrigieren Sie.

> HIRSCH-KAUFMANN, M.; SCHWEIGER, Manfred: Biologie für Mediziner und Naturwissenschaftler. 4. Auflage. Stuttgart: Thieme

> FLEMMER, Andrea: Bio-Lebensmittel : Warum sie wirklich gesünder sind. 1. Auflage. Humboldt, 2008

> FALKENBURG, Brigitte: *Was sind subatomare Teilchen*? ESFELD, Michael: Philosophie der Physik. Berlin : Suhrkamp, 2012

LITERATUR KORREKT ANGEBEN

Erkundigen Sie sich immer zuerst bei Ihrem Fachbereich, ob es spezielle Anforderungen gibt. *Campus Deutsch* folgt dem hier vorgestellten Muster:

- **Monografien**: NAME DES AUTORS / DER AUTORIN, Vorname (n): *Titel : Untertitel.* Auflage. Erscheinungsort : Verlag, Erscheinungsjahr
- **Aufsätze aus Sammelbänden**: NAME DES AUTORS / DER AUTORIN, Vorname(n): Titel : Untertitel. In: NAME, Vorname(n) des/r Herausgeber[s] (Hg.): *Titel des Sammelwerkes : Untertitel des Sammelwerkes.* Erscheinungsort : Verlag, Erscheinungsjahr, Seitenangabe
- **Artikel in Zeitschriften/Zeitungen**: NAME DES AUTORS / DER AUTORIN, Vorname(n): Titel : Untertitel. In: *Titel der Zeitschrift/Zeitung Band* (Jahr/Datum bei Zeitungen), Heftnummer, Seitenangabe
- **Texte aus dem Internet**: NAME DES AUTORS / DER AUTORIN, Vorname(n): *Titel.* [URL] (Stand: Datum des letzten Aufrufs)

Beachten Sie auch folgende Punkte:

- Bei Monografien wird die Auflage nur genannt, wenn es sich nicht um die erste Auflage handelt.
- Bei mehr als drei Verfassern wird nur der erste Name genannt und dahinter *u.a. (und andere)* geschrieben.

LITERATUR BELEGEN

In wissenschaftsbezogenen Texten (Referate, Hausarbeiten etc.) müssen Sie die Literatur, die Sie wörtlich oder indirekt zitieren, am Ende Ihrer Arbeit in einem Literaturverzeichnis aufführen (vgl. Seite 56).

4 Ordnen Sie die Abkürzungen den passenden Angaben zu.

> Hg.
> Aufl.
> Nr.
> Bde.
> überarb. Aufl.
> Bd.
> URL
> S.
> erw. Aufl.
> Jg.

Auflage
überarbeitete Auflage
erweiterte Auflage
der/die Herausgeber
Jahrgang
Seite(n)
Nummer
Band
Bände
Internetadresse

ABKÜRZUNGEN VERWENDEN

Bei Literaturangaben werden oft viele Abkürzungen benutzt. Machen Sie sich mit diesen Abkürzungen vertraut und verwenden Sie sie korrekt.

5 Schreiben Sie eine Literaturangabe zu dem Band *Campus Deutsch – Schreiben*.

....

....

6 Suchen Sie im Internet für die vier Quellenarten einen Titel bzw. Text, der für Ihr Studium wichtig ist, und notieren Sie die passende Literaturangabe. Ihr/e Nachbar/in überprüft anschließend die Angabe.

a Monografie

....

....

b Artikel aus einer Zeitung/Zeitschrift

....

....

c Aufsatz aus einem Sammelband

....

....

d Text aus dem Internet

....

....

PLAGIATE VERMEIDEN

Wenn Sie einen wissenschaftlichen Text schreiben, müssen Sie alle Inhalte, die nicht von Ihnen selbst stammen, sondern von anderen Autoren, nachweisen. Wenn Sie das nicht machen, geraten Sie in den Verdacht, einfach Texte von anderen Autorn abgeschrieben zu haben. Man nennt das Plagiat! Und das ist strafbar.

7 Welche Aussage über ein Plagiat ist richtig? Kreuzen Sie an.

> Wenn man die ursprüngliche Aussage ein bisschen umschreibt, muss man die Stelle nicht als Zitat kennzeichnen. ○
> Auch umgeschriebene Aussagen von anderen sind Zitate, die man kennzeichnen muss. ○
> Texte aus dem Internet darf man problemlos ohne Markierung verwenden, weil sie sowieso für jeden verfügbar sind. ○

Für das Studium wichtige Textsorten überblicken

1 Ordnen Sie die Abbildungen den Definitionen zu und ergänzen Sie dort die Textsorten.

Abstract   Exzerpt   Handout

Praktikumsbericht   Protokoll

Seminararbeit   ~~Zusammenfassung~~

[C] In einer _Zusammenfassung_ gibt man den Inhalt eines anderen, längeren Textes wieder, indem man die wichtigsten Informationen darstellt und Details weglässt.

[ ] In einem _____ werden die Erfahrungen festgehalten, die man während einer speziellen Ausbildung oder Tätigkeit im Rahmen des Studiums gemacht hat.

[ ] In einer _____ beschäftigt man sich ausführlich mit einem bestimmten Thema und stellt dieses über mehrere Seiten dar. Die Darstellung richtet sich dabei in der Regel nach einer speziellen Fragestellung.

[ ] Ein _____ informiert kurz und prägnant über den Inhalt eines anderen längeren Textes. Leserinnen und Leser sollen so entscheiden können, ob der längere Text für sie relevant ist.

[ ] Ein _____ gibt die Inhalte eines Textes hinsichtlich einer bestimmten Fragestellung wieder, d. h. nur ausgewählte Informationen werden aufgeschrieben.

[ ] Ein _____ enthält die wesentlichen Inhalte eines mündlichen Vortrags. Die Zuhörerinnen und Zuhörer müssen so nicht alles mitschreiben und können später die Informationen nachlesen.

[ ] Mithilfe eines _____ werden die Inhalte einer Veranstaltung (Seminar, Vorlesung, Diskussion etc.) festgehalten. Der Schwerpunkt liegt dabei auf dem Verlauf und den Ergebnissen der Veranstaltung.

[A] Kunz, Martin; Varga-Kunz, Simone; Fehlhaber, Karsten: Verwenden statt verschwenden!: Nachhaltig mit Lebensmitteln umgehen. München: Goldmann, 2013, S. 18–19
gelesen: 27. 05. 2014
Standort: Unibib Hamburg, A 2013 | 5722
Thema: Die Autoren informieren darüber, wie man mit Lebensmitteln umgehen sollte, damit weniger Essen weggeschmissen wird.
Fragestellung: Was passiert mit Lebensmitteln, die nicht gegessen werden? ⇒ vielleicht noch weiter eingrenzen!

S. 18   Das Beispiel der Biogasanlage "Biowerk" in Hamburg wird dargestellt. Hier werden Lebensmittel, die nicht verkauft werden,

[D]
Universität Bremen
Fachbereich Kulturwissenschaft
Kommunikations- und Medienwissenschaft
05. Mai 20..

Praktikumsbericht

Verlag für Kommunikationsmedien
Mainestr. 10
28359 Bremen
Betreuerin: Claudia Walter
Zeitraum: 3. Februar – 28. März 20..

Name: Jan Fuc
Matr.Nr.: 20987
E-Mail: jan.fuch

[F]

[E] Zeitschrift für Filmsynchronisation 6 (2013), S. 14–19

Sprachliche Aspekte bei der Übersetzung von Film- und Fernsehproduktionen

Elena Linkert und Karsten Neuhaus
Institut für Kommunikationswissenschaft der Universität Bamberg

Abstract

Der vorliegende Artikel beschäftigt sich mit den sprachlichen Aspekten der Synchronisation von Fernseh- und Kinoproduktionen in Deutschland. Dabei wird speziell die Frage überprüft, welche Rahmenbedingungen und Abläufe nötig sind, um vom Originaldialog zur deutschen Übersetzung zu gelangen. Das Ziel dieser Arbeit ist es, die Herstellung eines Synchronisationstextes in seinen einzelnen Schritten darzustellen und zu erklären. Die Beschreibung der Arbeitsabläufe wird anhand aktueller Literatur dargestellt und durch konkrete Beispiele ergänzt. Nach einer kurzen Darstellung der Bedeutung von Synchronität bei Übersetzungstexten beschreibt die Autorin die Rahmenbedingungen bei der Synchronisation, angefangen bei der Rohübersetzung über die Synchronübersetzung bis hin zum Synchrontext. Die Eigenschaften von Synchrondialogen werden anschließend erläutert. Dabei wird speziell auf die Bereiche Stil, Stimmmerkmale und Anglizismen eingegangen. Bei der anschließenden Darstellung der Bearbeitungsmethoden erläutert die Autorin die unterschiedlichen Gründe, die zur Änderung eines Dialogs führen können. Besondere Bedeutung haben hier technische Änderungen aufgrund von Lippenbewegung, Gestik und Mimik sowie kulturbedingte Änderungen aufgrund von Dialekten, Anpassungen an den Publikumsgeschmack und Humor. Als Ergebnis stellt die Autorin fest, dass die Synchronisation an strenge Regeln und Vorgaben gebunden ist. Die Einhaltung dieser Regeln wirkt sich somit auf die sprachlichen Aspekte der Synchrondialoge aus. Damit lässt sich erklären, warum viele Synchrontexte keine direkten Übersetzungen der Originaldialoge sind und zum Teil inhaltliche Unterschiede aufweisen.

Einleitung

Eine Übersetzung beschäftigt sich mit der Übertragung von Texten aus der einen in eine ander... sie sich dabei, bezüglich der Treue zum Original (Worttreue, Inhaltstreue) nach der Textart ... richten sollte.
Synchrontexte stellen eine spezielle Art der Übersetzung dar, da sie zwar Eigenschaften eines Übersetzungstextes aufweisen, zusätzlich aber Anforderungen genügen müssen, die an andere Übersetzungen nicht gestellt werden. Neben der inhaltlichen Übereinstimmung muss bei Synchrontexten auch das gesprochene Wort mit dem Geschehen im Film in Einklang gebracht werden. Dies stellt den Übersetzer vor eine besondere Herausforderung, da der übersetzte Text selten genauso lang ist wie der Originaltext und die Lippenbewegungen der Schauspielerinnen und Schauspieler nicht mit dem übersetzten Text übereinstimmen.
Das Gebot der Synchronität hat oberste Priorität, was häufig dazu führt, dass die Anforderungen an Übersetzungen bezüglich Treue zum Textinhalt manchmal vernachlässigt werden. Um einen Filmtext synchron zu gestalten, müssen verschiedene Arten der Synchronität beachtet werden (u. a. Lippensynchronität, Synchronität von Gestik und Mimik). Dadurch ergeben sich bei der Erstellung eines Synchrontextes sehr häufig Probleme mit der Abstimmung von Textinhalt und dem Anpassen des Textes an das Bild. Selten ist es möglich, alle Arten der Synchronität einzuhalten, da sie sich gegenseitig beeinflussen und voneinander abhängen.

B

Universität Leipzig
Institut für Meteorologie
Seminarleiterin: Dr. Barbara Hinze
Referentin: Michaela Franz
16.02.20..

Wärmeausgleich durch Land- und Seewind

Die Land-Seewind-Zirkulation tritt vor allem an Meeresküsten auf. Sie entsteht durch die unterschiedlichen Wärmeeigenschaften von Wasser und Festland.

Entstehung Seewind
- das Festland wird tagsüber schneller erwärmt als das Meer
- die Luft über dem Festland wird wärmer als die Luft über dem Wasser
- die Luft über dem Land steigt schneller auf und erzeugt Unterdruck
- die Luft über dem Meer fließt an Land, um den Unterdruck auszugleichen

Seewind am Tag:

Entstehung Landwind
- am Abend und nachts wird das Festland schneller kalt als das Wasser
- es entsteht Unterdruck über dem Meer
- die Luft vom Land strömt zum Meer, um den Unterdruck auszugleichen

Landwind abends und nachts:

Seewinde sind in der Regel stärker als Landwinde, da die Temperaturunterschiede am Tag größer sind als am Abend und in der Nacht.

Literatur:
http://www.deutscher-wetterdienst.de/lexikon/index.htm?ID=L&DAT=Land-Seewind-Zirkulation (Stand: 23.01.2014)
http://www.goruma.de/Wissen/Naturwissenschaft/Meteorologie/land_und_seewind.html (Stand: 23.01.2014)
http://www.geo.fu-berlin.de/met/ag/trumf/Lehre/Lehrveranstaltungen/Grenzschicht/Land-_Seewind_Zirkulation.pdf?1373749539 (Stand: 21.03.2014)

C

Marion Martin: Quallen – faszinierende Glibberwesen

URL: http://www.geo.de/GEOlino/natur/tiere/quallen-faszinierende-glibberwesen-65022.html (23.01.2014)

Der Artikel „Quallen – faszinierende Glibberwesen" ist von der Internetseite Geolino.de und wurde von Marion Martin verfasst.

In dem Text geht es um unterschiedliche Quallenarten und ihre Eigenschaften. Der Artikel wurde speziell für Kinder und Jugendliche geschrieben.

Die Autorin beschreibt zunächst die *Nomura-Qualle*. Diese Qualle kann sehr groß werden, ist aber für den Menschen ungefährlich.

Danach geht die Autorin näher auf die *Seewespe* ein, die vor allem im Pazifik lebt und wegen ihrer giftigen Tentakeln sehr gefährlich für den Menschen ist.

Anschließend wird die *Stomolophus meleagris* beschrieben, die wie ein Pilz aussieht. Sie ernährt sich von Plankton und wird vor allem von Schildkröten gefressen. Aber auch Menschen können diese Qualle nach einer speziellen Zubereitung essen.

Als Nächstes beschreibt die Autorin das Aussehen der *Spiegeleiqualle*. Wenn man [...]Form eines Spiegeleis.
[...]die Fortpflanzung der Quallen. Larven
[...]en. Und aus diesen Polypen entstehen
[...]rieben, die leuchten kann. Das Protein,
[...]ch für Forschungszwecke genutzt, z. B.
[...]torin das Thema Quallen so dargestellt
[...]sant ist. Die wichtigsten Informationen

G

Protokoll

Humboldt-Universität zu Berlin
Institut für Pädagogik
Seminarleiterin: Dr. Gabi Hauser
Thema: Lesen lernen
Protokollant: Martin Ammer
Datum: 15. Mai 20..

Das Thema der heutigen Sitzung ist das Lesenlernen bei Kindern im Alter von fünf bis sieben Jahren. Den Schwerpunkt bilden dabei die Methoden, mit denen Kinder das Alphabet erlernen können.
Zunächst geht Frau Dr. Hauser noch einmal auf die Theorien über die Wahrnehmung von Schriftzeichen ein, die in der letzten Sitzung besprochen wurden. Dazu gibt es von zwei Teilnehmerinnen folgende Fragen:
1. Welche der Theorien lässt sich auch auf erwachsene Lerner anwenden?
2. Wurden diese Theorien auch bei jüngeren Kindern überprüft?
Diese Fragen werden in einer Plenumsdiskussion besprochen.
Nach der Klärung der Fragen werden die zwei häufigsten Methoden zum Erlernen des Alphabets vorgestellt. Frau Dr. Hauser zeigt dazu einige Schaubilder, die diese Methoden veranschaulichen. Die Bedeutung der Schaubilder wird in Gruppen erarbeitet und anschließend im Plenum diskutiert. Dabei werden die Vor- und Nachteile beider Methoden herausgearbeitet.
Im Anschluss daran stellt ein Teilnehmer die Entwicklung des Alphabets in ihren Grundzügen vor. Nach der Vorstellung wird ein Punkt länger diskutiert: Welchen Einfluss hat die Darstellung der Buchstaben auf ihre Wahrnehmung? Da die Zeit nicht mehr ausreicht, soll dieser Punkt in der nächsten Sitzung ausführlicher besprochen werden. Die Teilnehmer/innen sollen sich zur Vorbereitung das Handout noch einmal ansehen.

Literatur:
KLAUS, Friedrich: *Die Entwicklung des Alphabets.* Frankfurt : Kanz, 1999
JUNCKER, Nico: *Das Alphabet lernen : Methoden und Erkenntnisse.* Darmstadt : Mand, 2001

Seminararbeit

im Rahmen des Hauptseminars

„Intelligenz und Psyche"

Kinder – Der Zusammenhang

Intelligenz und Schulbildung

Vorgelegt am
[Instit]ut für Psychologie der RWTH Aachen
Seminarleiter: Dr. Erwin Koch
Vorgelegt von: Hanna Lang
Matr.Nr.: 1908318
28. März 20..

---

2 Wo in *Campus Deutsch – Schreiben* finden Sie diese Textsorten? Sehen Sie das Inhaltsverzeichnis an und ergänzen Sie.

Kapitel in *Campus Deutsch – Schreiben*	Textsorten
Überblick und Vorbereitung	Exzerpt
Produktion	
Dokumentation	

Arbeitstechniken wiederholen

1 **Welche Textsorten sind formell *(f)* und welche informell *(i)*?**
Schreiben Sie den passenden Buchstaben zu den Textsorten.

Infokasten Seite 9

[f] Protokoll

[ ] Einkaufszettel

[ ] Seminarmitschrift

[ ] Antrag auf Immatrikulation

[ ] Handout

[ ] Kommentar bei Facebook

[ ] Abstract

[ ] Tagebucheintrag

[ ] E-Mail an Dozent/in

2 **Welche Aspekte sollten Sie vor dem Schreiben bei Ihren Vorüberlegungen klären?**

Infokasten Seite 10

1. .... 2. .... 3. .... 4. ....

3 **Welche Merkmale treffen auf die geschriebene (schriftliche) Sprache zu?**
Kreuzen Sie an.

Infokasten Seite 12

richtig   falsch

In Hausarbeiten ersetzen Smileys Mimik und Gestik.

Man sollte in Arbeiten, die man als Leistungsnachweis schreibt, vermeiden, umgangssprachliche Redewendungen zu benutzen.

Gerade als Nicht-Muttersprachler/in sollte man durch den Gebrauch von komplizierten grammatischen Formen beweisen, dass man die deutsche Sprache beherrscht.

Sprachliche Fehler sind praktisch unvermeidbar. Hauptsache der Inhalt ist gut, denn der wird bewertet.

Die Verfasser eines Textes sollten auf Klarheit des Geschriebenen achten, denn die Leser können den Autor nicht fragen, wenn etwas unklar ist.

4 **Ergänzen Sie den Text.**

Infokästen Seite 13, 14

(1) .... sind nützlich, um Inhalte prägnant auszudrücken. Es gibt sie in jedem Fachgebiet.

Aber man muss aufpassen, denn manchmal ist ihre Bedeutung anders als in der Alltagssprache.

Schreiben Sie in der Fremdsprache möglichst kurze Sätze. Wenn Sie viele (2) .... aneinander-

reihen, ist die Gefahr groß, dass Sie Fehler machen.

Wichtig für die Aussage Ihres Textes ist der korrekte Gebrauch von (3) ...., da diese eine

(4) .... Verbindung zwischen Wörtern und Sätzen herstellen.

5 **Setzen Sie die Teile zu einer korrekten Literaturangabe zusammen.**

Infokasten Seite 18

Intelligenz und Wissenschaft : Theorie und Praxis.   ~~LAUER~~, Eva: S. 105–116

In: TRENKER, Gerhard (Hg.):   Berlin : Janker, 2012,   Die Anwendung von Intelligenztests in Schulen.

LAUER, Eva: ....

Zusammenfassung – Exzerpt

Vorbereitung ist die halbe Miete. Erleichtern Sie sich das Verfassen wissenschaftlicher Texte, indem Sie Texte, die Sie gelesen haben, exzerpieren oder zusammenfassen und dadurch für Ihr eigenes Schreibprojekt vorbereiten.

DAS LERNEN SIE

- Die Funktion einer Textzusammenfassung verstehen
- Eine Zusammenfassung stilsicher formulieren
- Wörtliche Rede wiedergeben
- Lesetechniken anwenden
- Wichtige Informationen finden
- Einleitung, Hauptteil und Schluss formulieren
- Die Funktion eines Exzerpts verstehen
- Texte verdichten
- Ein Exzerpt strukturieren
- Exzerpte grafisch gliedern
- Literaturangaben anfertigen
- Seitenzahlen und Kapitelüberschriften notieren
- Eigene Kommentare festhalten
- Eine Vorauswahl treffen
- Hauptaussagen sinnvoll zusammenfassen

Einstieg

1 Was hat das Bild mit dem Begriff *Überblick* zu tun? Überlegen Sie zu zweit und notieren Sie Ihre Ideen.

....

....

2 Was bedeutet der Satz *Vorbereitung ist die halbe Miete*? Überlegen Sie zu zweit und notieren Sie Ihre Ideen.

....

....

3 Was können Sie in Ihrem Studium mit Exzerpten und Zusammenfassungen vorbereiten? Kreuzen Sie an.

> schriftliche Hausarbeiten ○   > schriftliche Abschlussprüfungen ○
> mündliche Vorträge ○   > Lektüre von Texten für Seminare ○
> Gespräche mit dem Professor ○   > Vorlesungen bei Ihren Professoren ○

Die Funktion einer Zusammenfassung erkennen

1 **Was kann man alles zusammenfassen? Überlegen Sie zu zweit und ergänzen Sie die Grafik.**

2 **Arbeiten Sie zu zweit. Fassen Sie ein Buch, einen Zeitungsartikel oder einen Film, den Sie beide kennen, mündlich zusammen. Ihre Partnerin / Ihr Partner notiert, was ihr/ihm zu den folgenden Punkten auffällt.**

Länge	....
Details	....
Handlungsverlauf	....

3 **Welche Funktion haben Textzusammenfassungen? Ergänzen Sie den Satz mit folgenden Begriffen.**

| Leser | informieren | Text | Inhalt | länger |

Die Aufgabe einer Textzusammenfassung ist es, ...

....

4 **Welche der folgenden Sätze könnten erste Sätze einer Zusammenfassung sein? Kreuzen Sie an.**

> In dem Text geht es um den Umgang der Menschen mit Lebensmitteln. ○

> Die Autorin zitiert eine Studie des WWF, nach der ein Drittel der Lebensmittel weggeworfen wird. ○

> Die Studie besagt, dass von 4600 Kilokalorien, die pro Tag und Mensch erzeugt werden, 1400 Kilokalorien weggeworfen werden. ○

> Das Thema des Textes von Jaqueline Brzinzky ist die tägliche Verschwendung von Lebensmitteln. ○

5 **Welche Funktion hat der Einleitungssatz einer Textzusammenfassung? Ergänzen Sie den Satz.**

Im ersten Satz einer Textzusammenfassung ....

Den Stil analysieren

1 Lesen Sie den Textabschnitt. Welche der beiden Zusammenfassungen ist besser? Begründen Sie Ihre Antwort mündlich.

Aus der Mülltonne frisch auf den Tisch

Jacqueline Brzinzky

(...) Über die Hälfte aller Lebensmittel landen im Abfall – der Großteil schon bevor sie überhaupt den Kunden erreichen. Sogenannte Nachernteverluste betreffen derzeit fast ein Drittel aller erzeugten Lebensmittel. Sie werden weggeworfen, weil es beispielsweise an vernünftigem Transport, rechtzeitiger Verarbeitung oder Kühlung fehlt. Nach Schätzungen des WWF erzeugt die Landwirtschaft weltweit 4600 Kilokalorien pro Tag und Mensch. Davon erreichen 1400 Kalorien niemals einen Magen. (...)

<aside>

EINE ZUSAMMENFASSUNG STILSICHER FORMULIEREN

In einer Textzusammenfassung wird der Inhalt eines Textes mit eigenen Worten wiedergegeben.
- Die verwendete Zeitform ist Präsens („Die Autorin schreibt, dass …").
- Es gibt keine Bewertungen des Inhalts (Objektivität).
- Unwichtige Details werden weggelassen (Kürze) .

Schreiben Sie möglichst wenige und einfache Sätze.

</aside>

A Das Thema des Textes ist die Verschwendung von Lebensmitteln. Viele Lebensmittel werden weggeworfen, ein großer Teil sogar schon vor dem Verkauf. Diese „Nachernteverluste" entstehen dadurch, dass die Lebensmittel nicht richtig transportiert, rechtzeitig verarbeitet oder gekühlt werden können.

B Die Autorin schreibt über die Verschwendung von Lebensmitteln. Über die Hälfte aller Lebensmittel werden weggeworfen und ein Drittel aller Lebensmittel landet im Abfall, bevor sie den Kunden erreichen. Sie werden weggeworfen, weil es an Transport, Verarbeitung oder Kühlung fehlt. Nach Schätzung des WWF erzeugt die Landwirtschaft weltweit 4600 Kilokalorien pro Tag und Mensch, von denen 1400 Kalorien nie verbraucht werden.

2 Lesen Sie den Ausschnitt aus einer Zusammenfassung und markieren Sie die Stellen im Text, die nicht den Regeln der Objektivität entsprechen.

Der Text ist ein Kapitel aus dem interessanten Buch „Verwenden statt verschwenden! Nachhaltig mit Lebensmitteln umgehen" von Martin Kunz, Simone Varga-Kunz und Karsten Fehlhaber. Die Autoren beschäftigen sich hier leider nur sehr kurz mit dem Thema „Mülltauchen". Zu Beginn des Kapitels wird ein Mann aus München vorgestellt, der Mülltaucher ist, d. h. er sucht nachts in Mülltonnen und Containern nach Lebensmitteln, die noch essbar sind. Danach gehen die Autoren auf die rechtliche Lage des Mülltauchens ein. In Deutschland ist es doch tatsächlich verboten, Abfälle aus fremden Mülltonnen herauszunehmen. Es ist etwas schade, dass sie nicht schreiben, welche Strafe es dafür gibt. (S. 47/48).

3 Welcher Satz ist die korrekte Umformung der wörtlichen Rede? Lesen Sie und kreuzen Sie an.

<aside>

WÖRTLICHE REDE WIEDERGEBEN

Um eine wörtliche Rede aus dem Originaltext in der Zusammenfassung zu verwenden, kann man den Konjunktiv I benutzen. Falls die Form des Konjunktiv I und die Form im Indikativ Präsens gleich sind, kann man als Ersatz den Konjunktiv II verwenden.

</aside>

Zusammen mit einigen anderen Mülltauchern zieht auch Stephan Clemens aus Bayern von Zeit zu Zeit los. „Was noch essbar ist, sollte auch gegessen werden", sagt er.

> Er sagt, dass auch gegessen werden solle, was noch essbar sei. ○
> Er sagt, was essbar sei, soll auch gegessen werden. ○
> Er sagt, dass was noch essbar ist, auch gegessen werden soll. ○

Aus der Mülltonne frisch auf den Tisch

Jacqueline Brzinzky

Immer mehr Menschen gehen nachts auf die Suche nach essbarem Abfall. Denn in den Müllcontainern der Supermärkte landet vieles, was noch bedenkenlos genießbar ist.

Thema 1

5 Über die Hälfte aller Lebensmittel landen im Abfall – der Großteil schon bevor sie überhaupt den Kunden erreichen. Sogenannte Nachernteverluste betreffen derzeit fast ein Drittel aller erzeugten Lebensmittel. Sie werden weggeworfen, weil es beispielsweise an vernünftigem Transport, rechtzeitiger Verarbeitung oder Kühlung fehlt. Nach Schätzungen des WWF erzeugt die Landwirtschaft weltweit 4600 Kilokalorien pro Tag und Mensch. Davon erreichen 1400 Kalorien niemals einen Magen.

10 Auch in den Supermärkten wird täglich aussortiert. Gemüse, das nicht mehr schön aussieht, oder Lebensmittel, deren Ablaufdatum kurz bevorsteht, könnten noch bedenkenlos verzehrt werden. Doch da die Produkte nicht mehr den Erwartungen der Käufer entsprechen und sich schlecht verkaufen, werden sie aussortiert. Einen Großteil dieses Lebensmittel-Ausschusses schöpfen die Tafeln oder andere karitative Vereine ab.

15 Allein in Hamburg klappert die Tafel regelmäßig etwa 60 Supermärkte, Großküchen und Bäckereien ab. Hinzu kommen Reste von Cateringunternehmen, Hotels und Restaurants. Knapp dreieinhalb Tonnen Lebensmittel kommen so nach Angaben der Hamburger Tafel täglich zusammen. Doch sieben Fahrzeuge und rund 100 ehrenamtliche Mitarbeiter reichen nicht aus, um wirklich alle aussortierten Nahrungsmittel einzusammeln.

20 Davon profitieren die sogenannten Mülltaucher. Sie praktizieren eine besondere Form des Recyclings: Im Schutz der Dunkelheit – denn der Eigentümer des Mülls ist immer noch der Supermarkt und das Durchwühlen der Container könnte als Hausfriedensbruch geahndet werden – fahnden sie in Mülltonnen nach essbaren Resten.

Die meisten Mülltaucher sind nicht arm. In zahlreichen Foren im Internet ist man sich einig: „Warum
25 sollten wir Geld für Essen ausgeben, wenn wir es uns einfach aus den Mülltonnen holen können?"
Zusammen mit einigen anderen Mülltauchern zieht auch Stephan Clemens aus Bayern von Zeit zu Zeit los. „Was noch essbar ist, sollte auch gegessen werden", sagt er. So sind die Aktionen der Mülltaucher auch ein leiser Protest gegen die Wegwerfmentalität unserer Konsumgesellschaft. Dass das nächtliche Wühlen in Supermarkt-Mülltonnen nicht legal ist, stört die meisten Essenssammler nicht. „Ich glaube,
30 der Image-Schaden für den Laden wäre größer als das Interesse des Unternehmens, ihr Recht durchzusetzen."

Der aus den USA stammende Trend findet in Deutschland immer mehr Anhänger. In Foren verabreden sie sich zum gemeinsamen Müllsammeln, geben Tipps für die besten Sammelplätze oder tauschen Rezepte aus.

35 Die hochgeladenen Bilder zeigen: Oft finden die Sammler so viel Obst, Gemüse und Brot, dass sie es alleine kaum essen könnten. Dann wird eingefroren, eingekocht und verschenkt – in der Tonne verrotten lassen wollen sie nichts.

Eine Zusammenfassung vorbereiten

LESETECHNIKEN
ANWENDEN

1   Orientierend lesen: Lesen Sie den Text einmal durch und machen Sie
Notizen zum Inhalt.

....

....

....

**2   Markieren Sie im Text die Themen der einzelnen Absätze. Wie viele Themen
finden Sie? Vergleichen Sie mit Ihrer Nachbarin oder Ihrem Nachbarn.**

**3   Schreiben Sie zu jedem Absatz ein oder zwei einfache Sätze in Ihren eige-
nen Worten, die die wichtigsten Aussagen dieses Absatzes wiedergeben.**

• Untertitel: Viele Menschen suchen nachts in Müllcontainern der

Supermärkte nach noch essbaren Lebensmitteln.

....

....

....

....

....

....

....

....

....

....

....

....

....

....

Verschaffen Sie sich zunächst einen
Überblick über die **Struktur** (Überschriften, Zwischenüberschriften)
und die grafische Präsentation (verschiedene Schrifttypen, Nummerie-
rungen, Fotos, Schaubilder etc.) des
Textes.
Lesen Sie dann den Text und markieren Sie die **Schlüsselbegriffe**, d. h.
die Wörter, die eng mit dem Thema
verbunden sind. Das Thema wird im
Titel und Untertitel angegeben. Mithilfe der Schlüsselwörter können
Sie die wichtigsten Aussagen verstehen und so einen **Überblick über
den Inhalt des Textes** bekommen.
Das nennt man orientierendes Lesen.
Mehr über Lesetechniken erfahren
Sie im Band *Campus Deutsch –
Lesen.*

WICHTIGE INFORMATIONEN
FINDEN

Inhaltlich zusammenhängende Ab-
schnitte sind meist rein formal durch
Absätze im Text gegliedert. Bei
wissenschaftlichen Texten stehen
häufig wichtige Informationen am
Anfang und Ende eines Absatzes.
Versuchen Sie daher besonders
diese ersten und letzten Sätze eines
Absatzes zu verstehen.
Formulieren Sie dann die wichtigsten
Aussagen der einzelnen Abschnitte
in Ihren eigenen Worten. Überlegen
Sie, welche Informationen für das
Verständnis des Inhalts notwendig
sind und bei welchen es sich nur
um nebensächliche Details handelt.
Versuchen Sie, die Absätze in weni-
gen, möglichst einfachen Sätzen
zusammenzufassen.

Eine Zusammenfassung ausformulieren

1 **Sie sollen nun eine vollständige Zusammenfassung des Textes *Aus der Mülltonne frisch auf den Tisch* schreiben. Benutzen Sie dafür ein gesondertes Blatt Papier.**
Schreiben Sie zunächst eine Einleitung für Ihre Zusammenfassung. Beachten Sie dabei die Hinweise aus dem Infokasten und verwenden Sie die Sprachmittel aus der Tabelle *Einleitung* auf Seite 87.

2 **Schreiben Sie nun den Hauptteil auf der Grundlage Ihrer Sätze von Aufgabe 3 auf Seite 27. Verwenden Sie die Sprachmittel aus der Tabelle *Hauptteil* auf Seite 87. Der Infokasten hilft Ihnen dabei.**

3 **Mit dem Schluss beenden Sie Ihre Zusammenfassung. Lesen Sie zunächst den Infokasten und schreiben Sie dann aufgrund dieser Hinweise ein oder zwei Schlusssätze für Ihre Zusammenfassung. Benutzen Sie dafür Sprachmittel aus der Tabelle *Schluss* von Seite 87.**

4 **Die kursiv gedruckten Verben in der Tabelle *Eine Argumentationskette darlegen* von Seite 87 können durch viele andere Begriffe ersetzt werden. Schreiben Sie die folgenden Begriffe, die in der Wissenschaftssprache häufig benutzt werden, in die Tabelle zu denjenigen Synonymen, die am besten passen. Benutzen Sie ggf. ein Synonymwörterbuch.**

~~analysieren~~   ausführen   betrachten   charakterisieren

darlegen   darstellen   definieren   erforschen   erläutern

erörtern   festlegen   prüfen   rechtfertigen   referieren

schildern   sichten   umschreiben   untermauern

begründen	
beschreiben	
untersuchen	*analysieren*

EINE EINLEITUNG FORMULIEREN

In der Einleitung sollten der Titel, die Autoren, die Textsorte (Artikel, Buch, Buchkapitel etc.), das Erscheinungsdatum, der Erscheinungsort (Zeitung, Verlag) und das Thema des Textes genannt werden. Beschreiben Sie das Thema in maximal ein bis zwei Sätzen.

DEN HAUPTTEIL VERFASSEN

Der Hauptteil einer Zusammenfassung gibt in kurzer und prägnanter Form die wichtigsten Informationen wieder. Dazu gehört ggf. auch die Meinung der Autorin / des Autors. Die Reihenfolge der Informationen im Originaltext muss dabei nicht unbedingt beibehalten werden. Wichtig ist, dass der Sinn und die Zusammenhänge korrekt dargestellt werden.

EINEN SCHLUSS SCHREIBEN

Wenn Sie die Zusammenfassung im Rahmen eines eigenen Schreibprojektes verfassen, können Sie am Ende eine Beurteilung hinsichtlich des Nutzens für Ihr Schreibprojekt notieren:
- Inwiefern ist der Text für Ihr Thema relevant?
- An welcher Stelle Ihrer Arbeit könnten Sie den zusammengefassten Text benutzen?
- Welche Beziehungen gibt es zwischen diesem Text und anderen Texten?
- Was ist evtl. problematisch an diesem Text?
- Wie könnten Sie mit einem Gedanken / einer Theorie des Textes weiterarbeiten?

Die Funktion eines Exzerpts erkennen

1 Das Wort *Exzerpt* kommt vom lateinischen Verb *excerpere*. Das bedeutet *herauspflücken*. Sehen Sie sich das Bild an und überlegen Sie, was *herauspflücken* bedeuten könnte.

....

....

....

2 Folgende Verben haben eine ähnliche Bedeutung wie *herauspflücken*. Markieren Sie die Verben, die man zusammen mit den Begriffen *Text* oder *Information* benutzen kann.

ausreißen   auswählen   auszupfen   abpflücken   heraussuchen

DIE FUNKTION EINES EXZERPTS VERSTEHEN

Exzerpte schreibt man, um sich hinsichtlich einer bestimmten Fragestellung intensiv mit einem Text oder Buch auseinanderzusetzen. Daher werden für ein Exzerpt aus dem Originaltext nur diejenigen Informationen ausgewählt, die für die Beantwortung der speziellen Frage relevant sind.
Nach dem Exzerpieren haben Sie die relevanten Inhalte besser verstanden und können sie leichter erinnern.
Exzerpte helfen Ihnen deshalb auch dabei, Prüfungen vorzubereiten oder Informationen für eine Hausarbeit zu sammeln.

3 Was genau *pflückt* man wohl für ein Exzerpt *heraus*? Kreuzen Sie an.

> Informationen zu einer bestimmten Fragestellung ○
> Informationen zum Autor und zum Verlag ○
> Informationen zum geschichtlichen Hintergrund des Textes ○
> Informationen zur Grammatik des Textes ○

4 Was ist der Unterschied zwischen einem Exzerpt und einer Zusammenfassung? Ergänzen Sie.

In einer Zusammenfassung ....

....

In einem Exzerpt dagegen ....

....

5 Für wen schreibt man ein Exzerpt wohl in erster Linie? Kreuzen Sie an.

> für den Seminarleiter ○
> für andere Studenten ○
> für sich selbst ○
> für einen Verlag ○

6 Notieren Sie *Thema* und *Aussage* für den folgenden Satz.

„Auch wenn Menschen nicht verbal kommunizieren, sprechen sie durch ihren Körper. Diese Körpersprache ist oft ehrlicher als die verbalen Äußerungen, da sie schwerer zu kontrollieren ist."

> Thema: ....

> Aussage: ....

TEXTE VERDICHTEN

In Ihrem Exzerpt geben Sie einen Text sehr verdichtet wieder. Diese Verdichtung erreichen Sie, wenn Sie zu jedem Absatz, den Sie exzerpieren möchten, die Antworten auf die folgenden Fragen notieren:

• Was ist das Thema des Absatzes?
• Was wird zu dem Thema gesagt?

Den Aufbau eines Exzerpts verstehen

1 Ordnen Sie die Begriffe dem Exzerpt unten auf der Seite zu.

Fragestellung   Inhaltsangabe   ~~Lesedatum~~   Seite   Standort

2 Ordnen Sie die folgenden Erklärungen dem Exzerpt zu.
Schreiben Sie die Nummern in die Kästchen.

1 Datum, an dem der Text exzerpiert wurde

2 bibliografische Angaben

3 Kapitelüberschrift

4 Kurzzusammenfassung des Inhalts mit eigenen Worten

5 wörtliches Zitat

6 Verweis auf anderen Text

7 Angabe zur Fundstelle des Textes

8 Notiz zur Bedeutung des Textes für die eigene Arbeit

EIN EXZERPT STRUKTURIEREN

Ein Exzerpt besteht aus mehreren Strukturelementen:
Der Exzerptkopf enthält:
- die Literaturangaben
- den Standort des Textes
- das Datum, an dem der Text gelesen wurde
- eine kurze Inhaltsangabe des Gesamttextes.

Der Textteil enthält:
- die Fragestellung, nach der exzerpiert wird
- die wichtigsten Aussagen
- die Seitenzahlen
- ggf. die Kapitelüberschriften
- bei Ausdrucken nachträgliche persönliche Kommentare.

Schreiben Sie schon Ihre Exzerpte möglichst mit einem Computer.

HERINGER, Hans Jürgen: *Interkulturelle Kommunikation : Grundlagen und Konzepte*. 2. Auflage. Tübingen : A. Francke, 2007, S. 81–104

Lesedatum   :   10.04.20..   1

.... :   Unibibliothek Köln, LL110#1

.... :   Heringer gibt in seinem Buch einen Überblick über die linguistischen Aspekte der interkulturellen Kommunikation und geht dabei auch auf die Grundlagen wie Konversation, nonverbale Kommunikation und Kultur ein.

.... :   Welche Bedeutung haben Mimik und Gestik in der interkulturellen Kommunikation?

.... :   **4 Nonverbal kommunizieren**

81   Mit Gestik werden die Bewegungen der Hände, Arme und Beine bezeichnet. Auf welche Weise und wie oft man gestikuliert, ist in jeder Kultur anders. Die Bedeutung der Gesten unterscheidet sich ebenfalls. Mit Mimik wird die Bewegung des Gesichts bezeichnet. Auch hier gibt es kulturelle Unterschiede.
„Die Mimik nehmen wir als Anzeichen der Gemütsverfassung und auch der Einstellung zum Partner wahr."

82   Für die Mimik sind die Augen am wichtigsten. Für die Kommunikation sind Häufigkeit, Dauer und Intensität des Blickkontakts entscheidend. In manchen Kulturen ist der Blickkontakt sehr wichtig, in anderen wird er meistens vermieden.
vgl. dazu auch Müller 2006

83   **4.1 Gestik**
Gesten werden zur Kommunikation verwendet und bestehen aus bewussten Bewegungen der Arme, Hände und Finger.

84–85   (Auf diesen Seiten steht nichts, was für die Fragestellung interessant ist.)

3 Bringen Sie die folgenden Elemente in die richtige Reihenfolge und in eine einem Exzerpt entsprechende Form. Benutzen Sie dafür ein gesondertes Blatt Papier.

AYASS, Ruth: Kommunikation und Geschlecht : Eine Einführung. Stuttgart : Kohlhammer, 2008

17.03.20..

Welche Unterschiede gibt es im Sprachgebrauch von Männern und Frauen?

Die Autorin beschäftigt sich mit den Gemeinsamkeiten und Unterschieden zwischen der weiblichen und männlichen Kommunikation.

Die Unterscheidung zwischen Männersprache und Frauensprache kann bereits in Reiseberichten aus dem 17. Jahrhundert nachgewiesen werden.

S. 41   3 Unterschiede im Sprachgebrauch   Handapparat Prof. Jäger

4 Erstellen Sie für die folgenden beiden Titel die Literaturangaben.

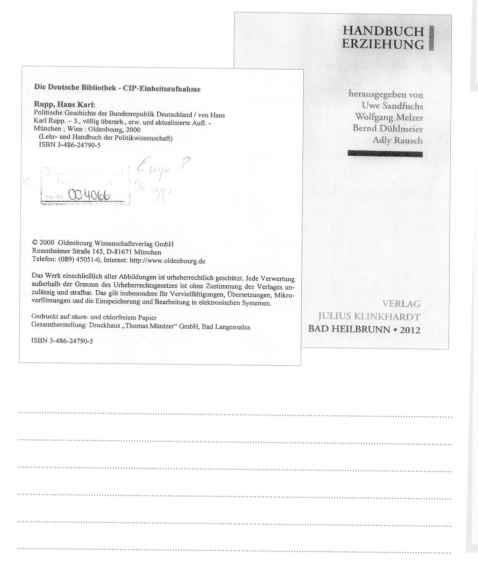

....

....

....

....

Mit eigenen Exzerpten arbeiten

1 Was gehört in den Hauptteil eines Exzerpts? Kreuzen Sie an.

> eigene Kommentare ○
> die Kapitelüberschriften ○
> die wichtigsten Aussagen ○
> die Fragestellung ○

> der Standort ○
> der Inhalt des Textes ○
> das Datum ○
> die Literaturangabe ○

2 Wie lauten die Zwischenüberschriften des Exzerpts auf Seite 30?

....

....

3 Lesen Sie den Ausschnitt aus einem Exzerpt und ordnen Sie die Kommentare den Kategorien zu. Ein Kommentar passt nicht.

HARMSEN, Thorsten: *Darum war Albert Einstein ein Genie*. www.berliner-zeitung.de/wissen/untersuchung-des-gehirns-darum-war-albert-einstein-ein-genie,10808894,24585534.html (Stand: 24.02.2014)

Bei mir schon!

Fragestellung: Kann man Genialität im Gehirn erkennen?

Abschnitt

weitere Infos zur Forschung vgl. Berne 2005

1   Forscher versuchen herauszufinden, ob man Einsteins Genialität auch in seinem Gehirn nachweisen kann.

2   Die Verbindung zwischen den beiden Gehirnhälften war sehr stark. Das wurde anhand älterer Fotos von Einsteins Gehirn festgestellt. *Fotos? Was wurde genau gemacht?*

3–4 Amerikanische und chinesische Wissenschaftler haben die Fotos mithilfe unterschiedlicher Techniken untersucht. Unter anderem wurde festgestellt, wie dick die Nervenstränge in einem bestimmten Bereich des Gehirns waren. Dieser Bereich, der die beiden Gehirnhälften verbindet, wird „Hirnbalken" oder „Corpus Callosum" genannt.

„Hirnbalken" und „Corpus Callosum" nachschlagen!

> Ideen und Erkenntnisse: ....

> Hinweise und Querverweise: ....

> Zweifel und Fragen: ....

4 Welcher Kommentar passt nicht? Notieren Sie diesen Kommentar und kreuzen Sie den Grund an.

....

> Der Kommentar ist unsachlich. ○
> Der Kommentar ist zu kritisch. ○

> Der Kommentar ist falsch. ○
> Der Kommentar ist zu lustig. ○

Ein Exzerpt schreiben

1 Sie studieren Kulturwissenschaft und sollen eine Präsentation zum Thema *Geschichte von Genie und Genialität* halten. Kreuzen Sie die Beiträge an, die dafür passen könnten.

Inhaltsverzeichnis

2 Unter welcher Fragestellung könnten Sie Texte für Ihre Präsentation *Geschichte von Genie und Genialität* lesen? Formulieren Sie diese Fragestellung in einem Satz.

....

3 Lesen Sie den Textausschnitt und markieren Sie wie im Beispiel die wichtigsten Aussagen hinsichtlich Ihres Themas *Geschichte von Genie und Genialität*.

Genies

Wer zum Beispiel? Nachschlagen!

Götz Bolten
(...)

Von der Kunst zur Intelligenz

5 Bis ins 19. Jahrhundert galten vor allem Künstler als Genies. Geniale Kunst war nicht nur in der Lage, die Natur abzubilden, sondern sie in ihrer Darstellung zu perfektionieren. Die heutige Auffassung von Genialität ist mehr wissenschaftsgebunden. Ein wichtiger Faktor, der damals noch gar nicht messbar war, ist der IQ, der Intelligenzquotient. Der beschreibt aber nur das Potenzial, nicht die tatsächliche Leistung. Der kleinste gemeinsame Nenner, auf den sich viele Lexika bei der Definition eines Genies bislang einigen konnten, ist die
10 Übersetzung aus dem Lateinischen: „Mensch mit überragender schöpferischer Begabung".

Der Anfang der Genieforschung

Auf der Suche nach dieser „schöpferischen Begabung" gehörte das Sezieren des Gehirns schon zu den moderneren Formen der Genieforschung. An deren Anfang gingen die Forscher noch davon aus, dass ein großer Geist auch in einem großen Kopf stecken müsse. Also maßen sie die Köpfe verstorbener Genies aus und verglichen
15 das Volumen der Schädel mit dem Normalbegabter. So naiv die Vermutung, so ernüchternd das Ergebnis: Die Größe des Hirns steht in keinerlei Zusammenhang zum Genie des Menschen. Ein letzter Versuch in diese Richtung wurde in den 70er-Jahren des vergangenen Jahrhunderts unternommen: DDR-Forscher haben Goethes Schädel vermessen und auf Besonderheiten untersucht – vergeblich.
Andere Wissenschaftler wollten nachweisen, dass das Genie in bestimmten Gehirnarealen zu verorten sei. Sie
20 erstellten Landkarten des menschlichen Schädels. Auch dieser Forschungsansatz trug bizarre Früchte: So meinten die Forscher, neben einer Genieregion im Gehirn auch andere Regionen gefunden zu haben, beispielsweise solche, die Mord oder Diebstahl begünstigen. (...)

4 **Welcher der folgenden Sätze passt am besten zu einem Exzerpt? Kreuzen Sie an und begründen Sie Ihre Antwort.**

a *Genie* wurde bis ins 19. Jhd. mit Kunst verbunden, wohingegen man in heutiger Zeit den IQ als Hinweis auf Genialität sieht: „Ein wichtiger Faktor, der damals noch gar nicht messbar war, ist der IQ, der Intelligenzquotient. Der beschreibt aber nur das Potenzial, nicht die tatsächliche Leistung." Als allgemeine Beschreibung eines Genies findet man in Lexika „Mensch mit überragender schöpferischer Begabung". ◯

b Bis ins 19. Jhd. wurden vor allem Künstler als Genies bezeichnet, weil sie die Natur perfekt abbilden konnten. Heute verbindet man Genialität mehr mit der Wissenschaft und betrachtet den IQ als wichtigen Faktor. Dieser kann aber nur das Potenzial und nicht die Leistung wiedergeben. Eine Definition, auf die sich die meisten Lexika einigen können, ist, „Mensch mit überragender schöpferischer Begabung". ◯

c Genies sind Menschen mit überragender „schöpferischer Begabung". ◯

d Genialität wurde bis ins 19. Jhd. mit Kunst und in heutiger Zeit vor allem mit dem IQ verbunden. Als Beschreibung eines Genies findet man in Lexika „Mensch mit überragender schöpferischer Begabung". ◯

HAUPTAUSSAGEN SINN-VOLL ZUSAMMENFASSEN

- Fassen Sie die wesentlichen Informationen eines Absatzes in Ihren eigenen Worten und so kurz wie möglich zusammen.
- Verwenden Sie wörtliche Zitate möglichst nur, wenn es sich um markante Aussagen handelt.
- Achten Sie darauf, dass Sie Ihre Notizen so formulieren, dass Sie sie auch zu einem späteren Zeitpunkt nachvollziehen können.

Sie sollten in Ihren persönlichen Bemerkungen auch immer notieren, warum Sie bestimmte Teile eines Textes nicht verwenden.

5 **Schreiben Sie nun für den Rest des Textes ein bis zwei Sätze, die die wichtigsten Aussagen zu der Fragestellung wiedergeben. Benutzen Sie dafür ein gesondertes Blatt Papier.**

6 **Erstellen Sie jetzt für den Textausschnitt auf Seite 33 ein Exzerpt mit Exzerptkopf und Hauptteil. Benutzen Sie dafür ein gesondertes Blatt Papier.**

7 **Lesen Sie nun Ihr Exzerpt noch einmal durch und kontrollieren Sie mithilfe dieser Checkliste, ob Sie an alles gedacht haben. Haken Sie die einzelnen Punkte ab.**

> Haben Sie die bibliografischen Informationen des Textes vollständig und korrekt angegeben sowie den Bibliotheksstandort und das Datum notiert? ◯
> Gibt es eine kurze Inhaltsangabe des gesamten Textes? ◯
> Ist Ihre Fragestellung sinnvoll formuliert? ◯
> Haben Sie die Hauptaussagen der Absätze entsprechend der Fragestellung und in Ihren eigenen Worten zusammengefasst? ◯
> Haben Sie in vollständigen Sätzen formuliert? ◯
> Haben Sie Textaussagen und Ihre eigenen Kommentare entsprechend markiert? ◯
> Haben Sie wörtliche Zitate gekennzeichnet? ◯
> Haben Sie die Seitenzahlen notiert? ◯

8 **Korrigieren oder ergänzen Sie die Punkte, bei denen Sie keinen Haken machen konnten.**

9 **Tauschen Sie Ihr Exzerpt mit dem Ihrer Nachbarin / Ihres Nachbarn aus und besprechen Sie es zu zweit.**

> Wo gibt es Unterschiede in Ihren Versionen?
> Warum haben Sie sich für eine bestimmte Formulierung entschieden?

Arbeitstechniken wiederholen

1 Was trifft auf Zusammenfassungen zu? Markieren Sie.

Infokästen Seite 24, 25

> Sie nennen einige bibliografische Daten. ○
> Sie sind in Stichworten geschrieben. ○
> Sie enthalten keine Details. ○
> Sie sind kürzer als der Originaltext. ○

> Sie sind im Präsens geschrieben. ○
> Sie befassen sich mit einer bestimmten Fragestellung. ○
> Sie enthalten persönliche Kommentare. ○
> Sie geben einen Überblick über die Hauptinhalte. ○

2 Ergänzen Sie den Satz.

Infokasten Seite 25

Eine Zusammenfassung wird immer _____ verfasst, d. h. es werden keine Informationen verändert oder neue hinzugefügt und die eigene Meinung zum Text wird nicht dargestellt.

3 Ist der folgende Satz korrekt? Markieren Sie *richtig* oder *falsch* und begründen Sie Ihre Antwort.

Infokästen Seite 28

Die Informationen müssen bei Zusammenfassungen in der gleichen Reihenfolge wiedergegeben werden, wie sie im Originaltext stehen.

Das ist richtig / falsch, weil _____

_____

4 Schreiben Sie mit den Sätzen eine Zusammenfassung mit Einleitung, Hauptteil und Schluss.

Infokasten Seite 28

> Abschließend gibt sie konkrete Ratschläge, wie Deutschlerner den bairischen und auch andere Dialekte besser verstehen können.

> Dann schildert sie die Erfahrungen von fünf ausländischen Studierenden mit dem bairischen Dialekt.

> Zunächst erläutert die Autorin einige konkrete Sprachbeispiele.

> In dem Text geht es um die Frage, wie Deutschlerner mit dem bairischen Dialekt zurechtkommen.

> Die Autorin zieht am Ende das Fazit, dass die Beschäftigung mit Dialekten auch das Verständnis der Kultur verbessern kann.

> „Bairisch als Fremdsprache" von der Autorin Sandra Bernd ist aus dem Buch „Studieren in Deutschland" (Seite 11–27).

Einleitung: _____

_____

_____

_____

_____

_____

5 Wozu schreibt man Exzerpte? Kreuzen Sie an.

Infokasten Seite 29

> zur Kommunikation mit Kommilitonen ○
> für ein besseres Verständnis von Inhalten ○
> als Erinnerungshilfe nach der Lektüre ○

> zur Vorbereitung einer Hausarbeit ○
> als Leistungsnachweis für ein Seminar ○
> zur Vorbereitung auf eine Prüfung ○

6 Ergänzen Sie den Text zur grafischen Gliederung eines Exzerpts.

Infokasten Seite 31

Sie sollten Ihr Exzerpt immer mithilfe von Farben, Schriftarten etc. gliedern, um die einzelnen

(1) _____ voneinander zu trennen. Vor allem bei den Textaussagen müssen Sie unterschei-

den, ob es sich um Ihre (2) _____ handelt oder um (3) _____. Ebenso sollten

Sie Ihre (4) _____ als solche kennzeichnen.

7 Was sollten Sie in Ihrem Exzerpt immer angeben, damit Sie nicht noch einmal im Originaltext nachschauen müssen? Wählen Sie die passenden Antworten.

Infokasten Seite 32

> die Seitenzahlen ○
> das Lesedatum ○

> den Standort ○
> die Literaturangaben ○

8 Warum sollten Sie sich vor dem Exzerpieren einen Überblick über den Inhalt eines Buches verschaffen? Notieren Sie Stichworte.

Infokasten Seite 33

....

....

9 In diesem Exzerpt gibt es einige formale Fehler. Markieren und kommentieren Sie die entsprechenden Stellen wie im Beispiel.

Infokasten Seite 30

FELDMANN, Klaus: *Soziologie Kompakt : Eine Einführung*, S. 27–48

gelesen: 25.11.20..
Standort: Uni Mainz *Angaben nicht vollständig*
Inhaltsangabe: Allgemeine Einführung in die Soziologie.

Fragestellung: Wie unterscheiden sich die soziologischen Theorien?

Seite

Soziologische Theorien

27–28   Die drei Theorierichtungen Funktionalismus, Symbolischer Interaktionismus und der Konfliktansatz werden vorgestellt. Der Funktionalismus benötigt Modelle, um Systeme darzustellen. Der
Konfliktansatz beschreibt Ereignisse aufgrund von Gruppenunterschieden. Der Interaktionismus
schließt die Gedanken und Gefühle der Menschen mit in die Erklärung ein. (*Gedanken und
Gefühle??? Da muss ich nochmal bei Frau Schulz nachfragen!*)

Funktionalismus

Im Funktionalismus geht es um die Erhaltung des Systems und das Wachstum in einer ...

Hausarbeit – Abstract – Handout

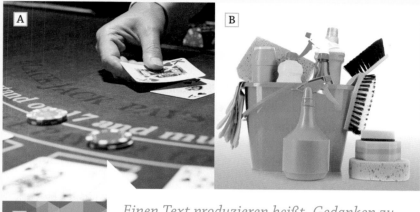

Einen Text produzieren heißt, Gedanken zu einem Thema – die eigenen und die anderer – schriftlich mit passenden Worten in einen sinnvollen Zusammenhang zu bringen.

DAS LERNEN SIE

- Die Funktion einer Hausarbeit verstehen
- Wissenschaftlichen Schreibstil verwenden
- Eine Gliederung erstellen
- Nichtlinear schreiben
- Texte paraphrasieren und Paraphrasen kennzeichnen
- Zitate richtig verwenden
- Kapitel und Absätze inhaltlich verbinden
- Bildunterschriften formulieren
- Abbildungen und Tabellen beschreiben und auf sie verweisen
- Die Funktion einer Einleitung verstehen
- Die Einleitung und den Schluss schreiben
- Das Inhalts- und Literaturverzeichnis erstellen
- Abbildungs- und Tabellenverzeichnis erstellen
- Ein Deckblatt gestalten
- Den Text auf Fehler kontrollieren
- Die Funktion eines Abstracts verstehen und es inhaltlich gestalten
- Die Funktion eines Handouts verstehen und es gestalten
- Ein Handout formgerecht anfertigen und hörerfreundlich formulieren

Einstieg

1 **Welche Bilder und welche im Titel genannten Textsorten passen zu den Erklärungen? Ordnen Sie zu.**

C Man fasst das Wesentliche in kürzerer Form zusammen.

☐ Man verteilt etwas, sodass jeder etwas hat.

☐ Man braucht viel Zeit und fast niemand macht es gern.

2 **Zu welcher Textsorte passt die Beschreibung des folgenden Studenten? Notieren Sie.**

„Ich hatte noch drei Tage Zeit bis zum Abgabetermin und noch nichts aufs Papier gebracht. Nun saß ich schon wieder zwei Stunden am Schreibtisch, aber mein Kopf war leer. Außerdem fiel mir ein, dass ich dringend das Bad sauber machen musste. Ich gab auf: Zuerst das Bad putzen, dann zurück an den Schreibtisch."
(Piet, 20, 2. Semester Wirtschaftswissenschaften)

3 **Für welche Zielgruppe produzieren Sie die im Titel genannten Textsorten? Überlegen Sie zu zweit und notieren Sie Stichworte auf einem gesonderten Blatt Papier.**

4 Die Auswirkungen des steigenden Meeresspiegels

Das folgende Kapitel beschäftigt sich mit den Auswirkungen, die eine Erhöhung des Meeresspiegels auf die deutschen Küsten der Nordsee haben kann. Dabei werden zunächst die möglichen Gefahren für die Küstengebiete erläutert und anschließend die unterschiedlichen Maßnahmen beschrieben, die die Küste vor diesen
5 Gefahren schützen sollen.

4.1 Gefahren

Wie im dritten Kapitel beschrieben wurde, kann bereits ein Anstieg des Meeresspiegels von wenigen Millimetern weitreichende Veränderungen zur Folge haben, die sich auf alle Bereiche des Ökosystems eines Meeres auswirken können. Diese Auswirkungen sollen im Folgenden am Beispiel der Nordseeküste dargestellt werden.
10 Dazu werden die drei Hauptgefahren *Erosion*, *Sturmflut* und *Überschwemmung* näher erläutert und anschließend mögliche Maßnahmen beschrieben, mit denen diese Gefahren eingeschränkt bzw. vermieden werden können.

4.1.1 Überschwemmungen und Sturmfluten

[handschriftliche Randnotiz: Kenntnis der Forschungslit.]

Mit Überschwemmung oder auch Überflutung wird nach Herrmanns ein „zeitlich begrenzte(r) Zustand, bei dem normalerweise trockene Bodenflächen von Wasser überspült werden"[56] bezeichnet. Der Pegel eines
15 Gewässers, z. B. eines Flusses oder eines Meeres, steigt an und überschreitet die normale Höhe. Dadurch tritt das Wasser über die Ufer und überflutet die angrenzenden Landflächen.[57] Zu unterscheiden ist die Überschwemmung vom Hochwasser. An Meeresküsten wird mit Hochwasser das Ansteigen des Wasserstandes im Zusammenhang mit den Gezeiten bezeichnet. Bei Flüssen kommt es zu Hochwasser, wenn das Wasser über die Normalhöhe steigt und dieser Zustand längere Zeit anhält. Dabei kann es auch zu Überflutungen kommen.[58]
20 An der Nordsee können Überschwemmungen vor allem durch Sturmfluten verursacht werden. Eine Sturmflut entsteht, wenn im Wechsel der Gezeiten das Wasser ansteigt (Flut) und gleichzeitig ein Sturm herrscht, der in Richtung Land weht. Die starken Winde drücken das steigende Wasser an die Küsten und führen so zur Überflutung des Festlandes[59]. Nach DIN 4049-3 (1994) ist eine Sturmflut offiziell definiert als „ein durch starken Wind verursachtes Ansteigen des Wassers an der Meeresküste und in den Flussmündungen im Küstengebiet,
25 wenn die Wasserstände einen bestimmten Wert überschreiten"[60]. Die Sturmfluten an der Nordsee sind je nach Stärke in verschiedene Kategorien einteilbar (siehe Tabelle 3).

Sturmflut	1,5 bis 2,5 m über MHW [61]
schwere Sturmflut	2,5 bis 3,5 m über MHW
sehr schwere Sturmflut	mehr als 3,5 m über MHW

30 Tabelle 3: Einteilung der Sturmfluten an der Nordsee (Zahlen nach Bundesamt für Seeschifffahrt und Hydrographie)[62]

Anhand der Daten wird deutlich, dass eine schwere und sehr schwere Sturmflut die Höhe einer normalen Flut deutlich überschreitet. Die Gefahr einer Überschwemmung der bewohnten Gebiete steigt entsprechend mit zunehmender Stärke der Sturmflut an.

---

[56] Herrmanns 2005, S. 76f (Änderung: die Autorin)
[57] vgl. www.goruma.de/Wissen/Naturwissenschaft/Naturkatastrophen/Hochwasser_Ueberschwemmungen.html (Stand: 04.02.2014)
[58] Das Problem der Unterscheidung zwischen den Begriffen *Überschwemmung/Überflutung* und *Hochwasser* wird ausführlich bei Vosse 1997, S. 25f behandelt.
[59] vgl. Herrmanns 2005, S. 76ff
[60] www.bau.uni-siegen.de/fwu/wb/forschung/projekte/mustok/abschlussbericht_1_4_mudersbach_jensen.pdf (Stand: 04.02.2014)
[61] MHW = mittleres Hochwasser
[62] www1.bsh.de/de/Meeresdaten/Vorhersagen/Sturmfluten/index.jsp (Stand: 04.02.2014)

Die Anforderungen beim Schreiben einer Hausarbeit erkennen

1 Was fällt Ihnen zum Thema *Hausarbeit* ein? Überlegen Sie zu zweit und notieren Sie Ihre Ideen.

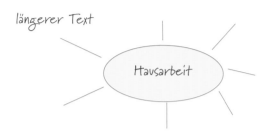

2 Ordnen Sie die Anforderungen den passenden Fähigkeiten zu.

A Kenntnis der wichtigsten Forschungsliteratur
B Eingrenzung und spezifische Darstellung des Themas
C Auseinandersetzung mit den relevanten Veröffentlichungen
D Anwendung wissenschaftlicher Arbeitstechniken

☐ Sie können den Inhalt einer Hausarbeit sinnvoll und zweckmäßig auswählen und sowohl logisch als auch verständlich gliedern.

☐ Sie haben sich mit den grundlegenden Werken zum Thema intensiv beschäftigt, können deren Argumente verwenden und verschiedene Positionen bewerten.

☐ Sie sind in der Lage, beim Schreiben einer Hausarbeit bestimmte inhaltliche und formale Merkmale zu berücksichtigen.

A Sie wissen, welche Veröffentlichungen es zu Ihrem Thema gibt und auch im Allgemeinen, welche Positionen und Inhalte in diesen Werken dargelegt werden.

3 Lesen Sie jetzt den Text auf Seite 38. Wo zeigt sich, dass die Autorin der Hausarbeit über die Fähigkeiten, die in Aufgabe 2 genannt werden, verfügt? Markieren Sie zu zweit den Text wie im Beispiel.

4 Lesen Sie die Aussagen der Dozentinnen und Dozenten. Auf welche Anforderungen beziehen sie sich? Ordnen Sie zu.

> „Sehen Sie sich einfach das Literaturverzeichnis dieser Einführung an. Welche Bücher wichtig sind, erkennen Sie dann selbst."

> „Sie haben Herrmanns nicht gelesen? Das müssen Sie nachholen, denn das ist ein ganz grundlegendes Werk."

> „Sie wollen die modernen Theorien der Algebra mit den klassischen vergleichen? Das wäre ein Thema für eine Dissertation. Begrenzen Sie sich lieber auf die Darstellung der modernen Theorien."

> „Und vergessen Sie nicht, Ihre Erkenntnisse auch mit Zitaten zu belegen."

> Eingrenzung des Themas
> Kenntnis der Forschungsliteratur
> Auseinandersetzung mit relevanter Literatur
> Anwendung wissenschaftlicher Arbeitstechniken

4.1.2 Erosion

Bei Erosion durch Wasser handelt es sich um einen Vorgang, bei dem Bodenflächen durch fließendes Wasser zerstört werden. Durch die Kraft des Wassers werden Teile des Bodens abgetragen und wegtransportiert. An Meeresküsten geschieht diese Abtragung flächenhaft, d. h. das Wasser spült das Material nicht nur an vereinzelten Stellen fort, sondern von einer breiten Fläche des Küstengebietes.[62] Der steigende Meeresspiegel bewirkt eine zunehmende Erosion der Küstengebiete, da weitere Flächen durch den höheren Wasserstand erreicht und abgetragen werden können. Betroffen sind vor allem die flachen Küstenregionen. Hier erfolgt die Erosion durch das fortwährende Wegspülen von Sand bzw. Steinen, wodurch das Ufer immer weiter ins Landesinnere zurückgedrängt wird. Reise schildert das Problem folgendermaßen:

„Erdgeschichtlich ist das normal, aber außer in den Polarregionen werden solche Küstenebenen mit zunehmender Dichte von sesshaften Menschen besiedelt, die in der Regel nicht umziehen wollen oder können."[63]

Problematisch wird dieser Vorgang dadurch, dass der größte Teil der deutschen Nordseeküste inklusive der Inseln besiedelt ist. Die Fläche zwischen dem Wasser und den bewohnten Gebieten wird durch die Erosion zunehmend verkleinert und die Gefahr einer Überschwemmung dadurch vergrößert.[64] Das Wirken der Erosion lässt sich am Beispiel der deutschen Insel Sylt veranschaulichen. Laut dem Landesbetrieb für Küstenschutz, Nationalpark und Meeresschutz Schleswig-Holstein konnte zwischen 1950 und 1984 ein Rückgang der Strand- und Kliffgebiete von 1,5 m pro Jahr festgestellt werden, was einem Verlust von 1,4 Mio. m³ Land pro Jahr entspricht.[65]

4.2 Schutzmaßnahmen

Um den im vorherigen Kapitel genannten Gefahren entgegenzuwirken, kann man unterschiedliche Schutzmaßnahmen treffen. An Land sind vor allem Deiche und Siele der wichtigste Schutz, in der Nordsee selbst können zusätzlich Wellenbrecher eingesetzt werden. Wie diese Bauten aussehen, welche Eigenschaften sie aufweisen müssen und wie wirksam sie sind, soll im Folgenden erklärt werden.

4.2.1 Deiche

Deiche werden entlang von Meeresküsten oder Flussufern errichtet, um das dahinterliegende Land vor Überflutungen zu schützen. Ein Deich besteht überwiegend aus Sand, der aufgeschüttet und mit einer Schicht Klei, einer dichten und sehr fruchtbaren Bodenart, abgedeckt wird. Diese Kleischicht bepflanzt man außerdem mit Gräsern, deren Wurzeln für höhere Stabilität sorgen. Der Fuß des Deiches wird zusätzlich befestigt, z. B. mit Steinen oder Beton.[66] Abbildung 8 zeigt die grundlegenden Elemente eines Deiches im Querschnitt.

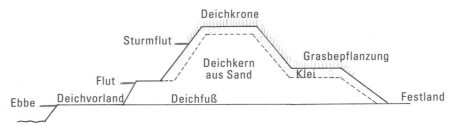

Abbildung 8: Querschnitt eines Deiches (eigene Darstellung)

---

[62] vgl. Herrmanns 2005, S. 97
[63] Reise 2011, S. 135
[64] vgl. Reise 2011, S. 135
[65] vgl. www.schleswig-holstein.de/KuestenSchutz/DE/03_Sylt/01_Einleitung/12_BisherigeEntwicklung/BisherigeEntwicklung_node.html (Stand 06.02.2014)
[66] vgl. Grundeis 2008, S. 109

Wissenschaftlich formulieren

1   Markieren Sie im Text auf den Seiten 38 und 40 alle unpersönlichen Formulierungen mit Gelb.

2   Ordnen Sie einige Beispiele für die Formulierungen in die Tabelle ein.

Passivwendungen	....
	....
	....
	....
Es-Konstruktionen	....
	....
	....
Passiversatz-formen	....
	....
	....
	....
	....

3   Markieren Sie in den folgenden Sätzen alle umgangssprachlichen bzw. überflüssigen Wörter.

>   Der Autor beschreibt den Aufbau eines Deiches ~~echt~~ detailliert.   *umgangssprachlich*

>   Die Ergebnisse der Studie zur Meeresspiegelerhöhung, die sehr aufwendig war, sind eindeutig.

>   Müller hat's folgendermaßen formuliert: „Im Gegensatz zu normalen Deichen ..."

>   Wellenbrecher sind ja schon sehr stabil.

4   Lesen Sie den folgenden Text und formulieren Sie ihn neu in einem wissenschaftlichen Stil. Verwenden Sie dafür ein gesondertes Blatt Papier.

Eine weitere Möglichkeit, die Küstengebiete vor Sturmfluten zu schützen, erkläre ich jetzt. Und zwar geht's um die Wellenbrecher. Sie bestehen in der Regel aus ziemlich großen Steinen, die vor der Küste im Meer rumliegen. In der Regel können wir diese Steine vom Land aus sehen. Wie der Name schon sagt, brechen sie die Wellen, bevor diese das Festland erreichen. Die Kraft der Wellen wird so um einiges abgeschwächt. Das funktioniert sehr gut. Die dahinterliegenden Deiche werden auf diese Weise entlastet und die Gefahr einer Überflutung weiter gemindert. Das sagt auch Franzen.[1]

Als Nächstes erzähle ich, wie diese Wellenbrecher gebaut und ins Meer transportiert werden. Das ist sehr interessant.

Im Folgenden wird eine weitere Möglichkeit, die Küstengebiete vor Sturmfluten zu schützen, erklärt.

Wellenbrecher ...

Eine Gliederung erstellen

1 Sie sind Student der Geografie und haben in zwei Tagen ein Gespräch mit Ihrer Dozentin über Ihre Hausarbeit zum Thema *Die Auswirkungen des erhöhten Meeresspiegels auf die Nordseeküste*. Sie sollen eine erste Gliederung zu dem Termin mitbringen. Sehen Sie sich den Text auf Seite 38 und 40 an und markieren Sie alle Teile, die zur Gliederung gehören.

2 Sehen Sie sich noch einmal den Text auf Seite 40 an. Welche weiteren Gliederungspunkte gibt es wohl zum Punkt *4.2 Schutzmaßnahmen*?

4.2 Schutzmaßnahmen

4.2.1 Deiche

....

....

Zur Vorbereitung Ihrer Hausarbeit haben Sie bereits viel zu Ihrem Thema gelesen, Notizen gemacht und auch Exzerpte angefertigt (vgl. das Kapitel *Überblick und Vorbereitung*). Die gesammelten Informationen können Sie nun dazu nutzen, eine Gliederung zu erstellen.
Eine Gliederung besteht aus Überschriften, die jeweils den Inhalt des folgenden Kapitels oder Abschnitts ankündigen. Achten Sie beim Formulieren der Überschriften darauf, dass diese möglichst kurz, aber dennoch aussagekräftig und eindeutig sind.

3 Sie haben die folgenden Exzerpte zu dem Punkt *Die Nordsee* angefertigt. Welche drei Gliederungspunkte könnten zu diesen Exzerpten passen?

URL: www.tiere-und-pflanzen-der-meere/nordsee/küste/ (Stand: 29.07.2014)
gelesen: 17.05.20..
Standort: Internetartikel
Thema: Die Seite beschreibt die Tier- und Pflanzenwelt der Meere und Meeresküsten.

Fragestellung: Welche Lebensräume gibt es in und an der Nordsee?

4. Wattenmeer
Von besonderer Bedeutung ist das Wattenmeer. Neben zahlreichen Arten von Algen haben auch viele Vögel, Insekten, Meeres- und Säugetiere hier ihren Lebensraum. Bedingt durch den Wechsel von Ebbe und Flut bietet das Watt sehr spezielle Lebensbedingungen, an die sich die Bewohner angepasst haben.

Watt = Teil des Nordseebodens, der bei Ebbe freiliegt

Spezielle Nahrung??

Unger, Karl; Hegener, Jens: Die Weltmeere: Was Sie schon immer wissen wollten. Neuburg: Biber, 2013, S. 19–25
gelesen: 19.05.20..
Standort: Hauptbibliothek, G B96/4
Thema: Allgemeine Informationen aus Geografie, Geologie, Geschichte, etc. über die großen Meere der Welt

Fragestellung: Welche Struktur hat die Nordsee?
Die Fragestellung ist noch nicht ok!

S. 19   Die Nordsee wird begrenzt durch die Länder Frankreich, Belgien, Niederlande, Deutschland, Dänemark, Norwegen und Großbritannien.
Im Norden und im Südwesten (Dover Kanal) hat die Nordsee eine Verbindung zum Atlantik.

S. 20   Folgende Flüsse fließen in die Nordsee:...

Felten, Maria: Die Veränderung der Nordseeküste seit dem 18. Jahrhundert. In: Zeitschrift für Bau- und Siedlungsgeschichte 36 (2012), S. 34–35
gelesen: 16.05.20..
Standort: Handapparat Dr. Hill
Thema: der Artikel beschreibt die Veränderung der gesamten Nordseeküste durch menschliche Nutzung und Bebauung, sowie ihre Auswirkungen.

Fragestellung: Wie hat sich die deutsche Nordseeküste verändert?

S. 34   In Deutschland hat sich die Küste vor allem durch folgende Maßnahmen verändert:
   - Wohngebiete
   - Industrieflächen   Was ist mit Tourismus??
   - Häfen (Handel + Fischerei)
Um die Siedlungen und Industriegebiete zu schützen, wurden Schutzbauten, vor allem Deiche, errichtet, die das Aussehen der Küstenlinie zusätzlich veränderten.

2. Die Nordsee

2.1 ....

2.2 ....

2.3 ....

4 Sie haben jetzt bereits Punkt 2 und Punkt 4 Ihrer Gliederung. Fügen Sie die noch fehlenden Überschriften in einer logischen Reihenfolge hinzu.

> Messwerte bis 2014
> Die Entwicklung des Meeresspiegels
> Zukünftige Entwicklung der Werte

> Methoden der Messung
> Das Projekt „Schützt unsere Küste"

2. Die Nordsee

2.1 ....

2.2 ....

2.3 ....

3. ....

3.1 ....

3.2 ....

3.3 ....

4. Die Auswirkungen des steigenden Meeresspiegels

4.1 Gefahren

4.1.1 Überschwemmungen und Sturmfluten

4.1.2 Erosion

4.2 Schutzmaßnahmen

4.2.1 Deiche

4.2.2 ....

4.2.3 ....

5. ....

5 Jetzt ist Ihre Gliederung fast fertig. Ordnen Sie nun noch den festen Bestandteilen einer Hausarbeit die passenden Gliederungsnummern zu.

☐ Abbildungs- und Tabellenverzeichnis   ☐ Schluss   ☐ Literaturverzeichnis   1 Einleitung

6 Sie zeigen Ihrer Dozentin die Gliederung und sie möchte, dass Sie noch zwei Punkte ergänzen. Überlegen Sie sich kurze und eindeutige Überschriften dazu und fügen Sie die beiden neuen Punkte an einer sinnvollen Stelle in Ihrer Gliederung ein.

> Wie wirkt sich der Anstieg des Meeresspiegels auf die Wirtschaft an der Nordseeküste aus?

Überschrift: ....   nach Punkt ....

> Welche geologischen Eigenschaften hat die Nordsee?

Überschrift: ....   nach Punkt ....

Inhalte sinngemäß wiedergeben

TEXTE PARAPHRASIEREN

Längere Zitate sollten Sie in Ihren eigenen Worten, als sogenannte Paraphrase, wiedergeben. Achten Sie darauf, dass Sie beim Paraphrasieren
- nur Inhalte verwenden, die zur Argumentation Ihrer Hausarbeit beitragen.
- die Formulierung so ändern, dass Sie nicht einfach abschreiben bzw. wörtlich zitieren (vgl. Seite 46).
- die ursprüngliche Aussage nicht verändern (z. B. durch zusätzliche Behauptungen).

Alle Inhalte, die Sie aus anderen Quellen übernehmen, müssen Sie als solche mit einem Literaturnachweis kennzeichnen (vgl. Seite 47).

1   Lesen Sie den Originaltext und die vier Paraphrasen. Welche ist die Beste? Kreuzen Sie an und begründen Sie Ihre Antwort.

(...) Die Nordseeküste wird in erster Linie durch Deiche, Wellenbrecher und Siele vor Sturmfluten geschützt. In zahlreichen Gebieten sind alle drei Schutzmaßnahmen vorhanden, um vor Überschwemmungen zu schützen. (...)

a   Für den Küstenschutz findet man an der Nordseeküste vor allem Deiche, Wellenbrecher und Siele, die im Falle einer Sturmflut vor Überflutungen schützen sollen.   ○

b   Zahlreiche Deiche, Wellenbrecher und Siele schützen die Nordseeküste vor der Gefahr einer Überflutung. Diese Gefahr ist hier höher als in anderen Küstengebieten. Daher werden häufig auch alle drei Schutzmaßnahmen gleichzeitig eingesetzt.   ○

c   Zum Schutz vor Überflutungen werden in zahlreichen Gebieten drei Maßnahmen genutzt: Deiche, Wellenbrecher und Siele.   ○

d   Häufig werden Deiche, Wellenbrecher und Siele zusammen eingesetzt, um vor Sturmfluten zu schützen.   ○

Begründung: ....

2   Welche sprachlichen Variationen werden in den Paraphrasen bei Aufgabe 1 verwendet? Notieren Sie.

Synonyme	*Beispiel a: in erster Linie – vor allem*
	....
Aktiv/Passiv	....
	....
	....
	....
Anzahl der Sätze	*Beispiel a: nur ein Satz*
	....
Inhaltliche Kürzung	....
	....
	....
Reihenfolge	....
	....

PARAPHRASEN FORMULIEREN

Durch Paraphrasieren können Sie längere Textabschnitte von anderen Autoren in ihrer ursprünglichen Bedeutung in Ihren eigenen Text integrieren.
Zum Schreiben von Paraphrasen können Sie einfache sprachliche Variationen anwenden, z. B.
- Synonyme
- Aktiv statt Passiv (und umgekehrt)
- Sätze zusammenführen oder aufteilen
- Inhalte kürzen
- die Reihenfolge vertauschen.

Achten Sie darauf, dass Sie den Sinn der Informationen nicht verändern und dass Sie die Übernahme eines fremden Textes korrekt kennzeichnen.

3 Suchen Sie auf Seite 38 und 40 nach Möglichkeiten, bei Paraphrasen die Autorin oder den Autor zu nennen, und notieren Sie diese Redewendungen.

....

....

....

....

....

4 Lesen Sie den folgenden Originaltext und suchen Sie die Stelle im Text auf Seite 38, an der er zitiert wird. Notieren Sie die passenden Zeilen.

„Die Bewegung des Wassers während der Gezeiten geschieht durch das Absinken des Wasserspiegels bei Ebbe und der Erhöhung des Wasserspiegels bei Flut. Dieser Anstieg ist normal und stellt keine Gefahr für die Küstengebiete dar. Zu Überflutungen kommt es erst, wenn das Hochwasser der Flut und ein Unwetter (in der Regel mit starkem Regen und hohen Windstärken) zusammentreffen. Durch die Kraft des Windes wird das Wasser in Form von hohen Wellen über die normale Höhe hinaus an das Ufer gepresst. Dieser Vorgang wird als Sturmflut bezeichnet und ist an der Nordsee die häufigste Ursache für Überschwemmungen."

Zeile .... _bis_ ....

5 Welche sprachlichen Änderungen finden Sie in der Paraphrase? Kreuzen Sie an.

> Verwendung von Synonymen ⭕   > Sätze zusammenführen ⭕
> Wechsel des Modus von Aktiv zu Passiv ⭕   > Sätze aufteilen ⭕
> Vertauschen der Reihenfolge ⭕   > Kürzung von Inhalten ⭕

6 Für das Kapitel *Wellenbrecher* Ihrer Hausarbeit möchten Sie den folgenden Textabschnitt paraphrasieren. Markieren Sie die wichtigsten Informationen und schreiben Sie Ihre Paraphrase auf ein gesondertes Blatt Papier.

—— liegen im Meer ——

Wellenbrecher werden in Küstennähe ins Meer gebaut. Man kann sie meistens vom Ufer aus sehen. Sie bestehen in der Regel aus großen, nebeneinanderliegenden Steinblöcken, die zusammen einen Wall bilden. Die Schutzwirkung funktioniert folgendermaßen: Die Wellen werden von dem Steinwall „gebrochen", d. h. sie treffen auf die Mauer und werden abgebremst. Dadurch treffen sie mit deutlich weniger Energie auf die Küste. Die Einwirkung der Wellen auf den Uferbereich und die dahinterliegenden Deiche wird auf diese Weise vermindert. Hinter den Wellenbrechern, auf der Landseite, lagert sich durch die geringere Wellenbewegung zusätzlich Sand an. Dieser Vorgang festigt den Uferbereich und trägt somit ebenfalls zur Sicherung der Küste bei.

(GERRES, Birgit: *Küstenschutz früher und heute.* Koblenz : Unger, 2006, S. 91)

Inhalte wörtlich wiedergeben

1 Passt für den folgenden Text das angegebene Zitat oder die Paraphrase besser? Kreuzen Sie an und begründen Sie Ihre Antwort.

Die Formulierung der Relativitätstheorie war eine der bedeutendsten Errungenschaften der theoretischen Physik. Der Forscher Albert Einstein wurde durch sie weltberühmt.

> Zitat
> Einstein hat die Relativitätstheorie formuliert, was eine der „bedeutendsten Errungenschaften der theoretischen Physik"[23] darstellt. ○

> Paraphrase
> Einstein hat mit der Relativitätstheorie einen wehr wichtigen Beitrag zur Forschung der Physik geleistet.[23] ○

Begründung: ....

....

2 Welches Problem gibt es bei dem folgenden Zitat? Notieren Sie Ihre Vermutungen.

Die Sturmflut kann nicht als einzige Ursache für Überschwemmungen an der Nordseeküste genannt werden.

> Zitat
> Im Zusammenhang mit dem Problem der Überflutungen sieht Herrmanns die Sturmfluten als „einzige Ursache"[56].

....

3 Den folgenden Text wollen Sie als wörtliches Zitat übernehmen. Sie haben sich bereits Notizen dazu gemacht. Schreiben Sie das Zitat mit allen notwendigen Angaben.

Das Wattenmeer wird sich aufgrund der globalen Erwärmung weiter verändern und sich an die neuen kliamtischen Verhältnisse, z.B. die Meeresspiegelerhöhung, anpassen. *Fehler!* *unwichtig*

....

....

4 Wie sind die beiden wörtlichen Zitate auf Seite 38 und 40 in den Text eingebunden? Notieren Sie die Unterschiede.

> Seite 38: ....

> Seite 40: ....

ZITATE VERWENDEN

Verwenden Sie wörtliche Zitate, wenn neben dem Inhalt auch der Wortlaut wichtig ist, wenn z.B. ein spezieller Begriff verwendet wird oder auch wenn eine Aussage schwer zu paraphrasieren ist. Im Gegensatz zu den sinngemäßen Zitaten (vgl. Seite 44) übernehmen Sie bei einem wörtlichen Zitat die genaue Formulierung aus dem Original. Dabei müssen Sie darauf achten, dass Sie den Inhalt und die sprachliche Struktur des Originaltextes nicht verändern. Sie können Teile, die inhaltlich nicht relevant sind, weglassen, solange dadurch der Inhalt nicht verändert wird. Solche Auslassungen müssen Sie mit [...] kennzeichnen. Falls es Fehler im Original gibt (z.B. in der Rechtschreibung), können Sie auf diese hinweisen, indem Sie hinter dem Fehler ein [sic] einfügen.

ZITATE IN DEN TEXT EINBINDEN

Kurze wörtliche Zitate können Sie mit Anführungsstrichen in den Text einbauen. Bei längeren Zitaten sollten Sie den Text einrücken und optisch leicht verändern. Wie bei den Paraphrasen (vgl. Seite 45) können Sie die Zitate einleiten, indem Sie den Autor nennen. Sie können das Zitat aber auch in Ihren Text einbauen, ohne explizit auf die Autorin / den Autor zu verweisen.

Literaturquellen angeben

1 Wie wird im Text auf die Fußnoten verwiesen? Sehen Sie auf den Seiten 38 und 40 nach und kreuzen Sie an.

> mit hochgestellten Zahlen ○
> mit Zahlen in Klammern ○
> mit fettgedruckten Zahlen ○
> mit Zahlen zwischen Bindestrichen ○

2 Bei manchen Quellenangaben steht hinter der Seitenzahl ein „f" oder „ff". Was könnte das bedeuten? Notieren Sie Ihre Vermutung.

f bedeutet

ff bedeutet

3 Welche anderen Angaben werden in den Fußnoten auf Seite 38 und 40 noch gemacht?

ZITATE NACHWEISEN

Für alle sinngemäßen oder wörtlichen Zitate müssen Sie die Quellen angeben, aus denen die Zitate stammen. Es gibt unterschiedliche Arten, die Quellen anzugeben. Wir schlagen Ihnen hier zwei mögliche Varianten vor:
1. als Fußnote (wie auf Seite 38/40):
• *Autor Jahr, Seite* bei wörtlichen Zitaten
• vgl. *Autor Jahr, Seite* bei sinngemäßen Zitaten
2. im Text:
• (*Autor Jahr, Seite*) bei wörtlichen Zitaten
• (vgl. *Autor Jahr, Seite*) bei sinngemäßen Zitaten
Beispiel: *Die starken Winde drücken das steigende Wasser an die Küsten und führen so zur Überflutung des Festlandes (vgl. Herrmanns 2005, S. 76ff).*
Wichtig ist, dass Sie in Ihrer Hausarbeit durchgehend nur eines der beiden Systeme verwenden.
Die vollständigen Literaturangaben machen Sie im Literaturverzeichnis (vgl. Seite 56).

4 Schreiben Sie zu den folgenden Titeln die Quellenangaben. Die Seitenzahlen können Sie frei wählen.

> WEBER, Christian: *Geld schafft Vertrauen.* www.sueddeutsche.de/wissen/kooperation-geld-schafft-vertrauen-1.1755613.html (Stand: 09.11.2013)

Fußnote für ein sinngemäßes Zitat: vgl. Weber 2003

> MUSOLFF, Andreas: *Sind Tabus tabu? Zur Verwendung des Wortes Tabu im öffentlichen Sprachgebrauch.* In: *Sprache und Literatur in Wissenschaft und Unterricht* 60 (1987), S. 10–18

Fußnote für ein wörtliches Zitat:

> NÜCKE, Erwin; REINHARD, Alfred: *Physikaufgaben für technische Berufe.* 31., aktualisierte Auflage. Hamburg : Handwerk und Technik, 2013

Quellenangabe im Text:

> ROBERTS, Leslie: Die Rückkehr der Schluckimpfung. In: *Süddeutsche Zeitung* (12.11.2013), Nr. 261, S. 17

Fußnote sinngemäßes Zitat:

Kapitel inhaltlich verbinden

1 Markieren Sie im Text auf Seite 38 und 40 alle Redemittel, mit denen die Kapitel inhaltlich miteinander verbunden werden mit Blau.

2 Um welche Art von Verbindung handelt es sich bei den Redemitteln aus Aufgabe 1? Ordnen Sie zu.

Hinweis auf folgende Kapitel	• *Das folgende Kapitel beschäftigt sich mit* .....
Rückbezug auf vorangegangene Kapitel	

KAPITEL INHALTLICH VERBINDEN

Die Konsistenz Ihres Textes sichern Sie, indem Sie die verschiedenen Kapitel auch sprachlich miteinander verbinden. Mit verschiedenen Redemitteln können Sie

- Hinweise auf die Inhalte der folgenden Kapitel geben, vor allem um neue Kapitel einzuleiten.
- Rückbezüge auf Aussagen vorheriger Kapitel schaffen, um so den Zusammenhang Ihrer Argumentation zu verdeutlichen.

3 Formulieren Sie weitere Hinweise auf folgende bzw. Rückbezüge auf vorangegangene Kapitel mit den folgenden Wörtern und schreiben Sie Ihre Ideen auf ein gesondertes Blatt Papier. Recherchieren Sie auch mithilfe eines Wörterbuches nach weiteren möglichen Begriffen.

Verben
> nennen, erläutern, untersuchen, betrachten, eingehen auf, beschreiben, ...

Nomen
> Kapitel, Abschnitt, Aussage, Ausführung, Beschreibung, Darstellung, ...

Adjektive
> vorherig, vorangehend, vorausgehend, folgend, nachfolgend, nächste/er/es, ...

TIPP

Nutzen Sie Synonymwörterbücher, um Ihre Formulierungen abwechslungsreicher zu gestalten.

4 Sie möchten den Text zu Kapitel 1 *Die Nordsee* verfassen und haben sich dazu Notizen gemacht. Schreiben Sie auf einem gesonderten Blatt Papier einen kurzen Text, der das Kapitel einleitet. Verwenden Sie dabei passende Redemittel aus Aufgabe 3.

1. Die Nordsee:

Themen in diesem Kapitel

Allgemeine Infos zur Nordsee:

- Geografie: Infos zur Lage und Größe

- Geologie: Entstehung, Bodenform, Tiefe

- Tiere und Pflanzen: welche Tiere, welche Pflanzen, Lebensräume

- Nutzung durch Menschen: Wohnraum, Industrie, Tourismus

Zusammenhänge sprachlich darstellen

ABSÄTZE MITEINANDER VERBINDEN

Strukturieren Sie Ihren Text mithilfe von Absätzen. Jeder Absatz sollte dabei eine gedankliche Einheit bilden (z. B. Beschreibung eines Sachverhalts, Darstellung eines Arguments etc.). Durch verschiedene sprachliche Mittel bestimmen Sie die logischen Bezüge der Absätze zueinander. Häufige Bezüge sind: *begründen/ erklären, einschränken, exemplifizieren, folgern, hinzufügen, vergleichen, widersprechen, zusammenfassen*.

1 Ordnen Sie die logischen Kategorien den Beispielen zu.

A Begründen/Erklären   E Hinzufügen

B Einschränken   F Vergleichen

C Exemplifizieren   G Widersprechen

D Folgern   H Zusammenfassen

H Kurz gesagt: ...

☐ Nicht nur, ... sondern auch ...

☐ Dieser Aussage kann nur teilweise zugestimmt werden.

☐ Man kann also feststellen, dass ...

☐ Als Beispiel für das Gesagte lässt sich anführen: ...

☐ Die Ausführungen von ... sind nur richtig, wenn ...

☐ Hinzugefügt werden muss ...

☐ Die in dem Buch ... dargestellten Zahlen sind keinesfalls richtig, denn ...

☐ Zusammenfassend lässt sich sagen, dass ...

☐ Daraus folgt, dass ...

☐ Gegen diese These spricht, dass ...

☐ Im Vergleich dazu ...

☐ Ebenso/Genauso wichtig wie die angeführten Argumente von ... sind ...

☐ Dies ist deshalb richtig, weil ...

2 Verbinden Sie die folgenden Absätze mit passenden sprachlichen Mitteln aus Aufgabe 1.

> ... Tripoden, schwere Betonstücke mit drei Füßen, werden vor den Küsten ins Meer gelegt, um die Wellen abzuschwächen. Jedoch .... diese künstlichen Maßnahmen, ... natürliche Maßnahmen sind geeignet, ... (*Hinzufügen*)

> ... ist ein weiteres Mittel, mit dessen Hilfe die Erosion des Strandes abgemildert werden kann. .... : Tripoden und Bepflanzungen sind künstliche und natürliche Maßnahmen, die ... (*Zusammenfassen*)

> ... Die Wirksamkeit von Bepflanzungen zur Milderung der Erosion wird von Petersen (2011, S. 87) anhand seiner Messungen auf der Insel Sylt dargestellt. .... , dass auf jeder Insel die gleichen Bedingungen herrschen wie auf Sylt, können die Untersuchungen von Petersen verallgemeinert werden und auch ... (*Einschränken*)

Abbildungen und Tabellen einbinden

1 **Formulieren Sie eine Bildunterschrift für die beiden Abbildungen.**

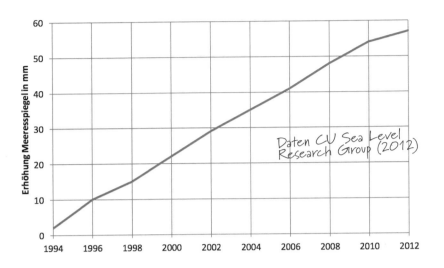

Daten CU Sea Level Research Group (2012)

Abb. 6

Grafik von Infograf Berlin, 2014

2 **Markieren Sie im Text auf Seite 38 und 40 die Textstellen, die sich auf die Tabelle bzw. die Abbildung beziehen, in Rot und notieren Sie die Redemittel, mit denen auf sie verwiesen wird.**

3 **Sie wollen die zweite Abbildung aus Aufgabe 1 für das Kapitel *Erosion* verwenden. Überlegen Sie, an welche Stelle im Text auf Seite 40 die Abbildung inhaltlich am besten passt, und notieren Sie, wie Sie auf die Abbildung verweisen.**

nach Zeile _____ :

BILDUNTERSCHRIFTEN FORMULIEREN

Für alle Bilder, Grafiken, Diagramme oder Tabellen, die Sie in Ihrer Hausarbeit verwenden, müssen Sie eine kurze Bildunterschrift formulieren, mit der Sie den jeweiligen Inhalt angeben. Dabei müssen Sie Folgendes beachten:

- Geben Sie immer die Quelle der Abbildung oder der verwendeten Daten an. Entweder direkt bei der Abbildung oder im Abbildungsverzeichnis.
- Wenn Sie die Abbildung verändert haben, schreiben Sie „verändert/ ergänzt von" und dann die Quellenangabe.
- Bei Darstellungen, die Sie selbst erstellt haben, ergänzen Sie „eigene Darstellung".
- Um die Abbildungen und Tabellen eindeutig zuordnen zu können (vor allem im Abbildungs- und Tabellenverzeichnis, vgl. Seite 57), nummerieren Sie sie durch (*Abbildung 1 / Tabelle 1* oder *Abb. 1 / Tab. 1*).

AUF ABBILDUNGEN UND TABELLEN VERWEISEN

Wenn Sie in Ihrem Text auf eine Abbildung oder Tabelle verweisen, können Sie z. B. folgende Sprachmittel verwenden:

- *Das Diagramm in Abbildung 2 zeigt ...*
- *Abbildung 10 stellt ... dar ...*
- *Die Grafik in Abbildung 5 informiert über ...*
- *In Abbildung 6 sieht man ...*
- *Die Daten sind in Tabelle 20 dargestellt.*
- *Das Ergebnis sieht man in der Grafik von Abbildung 14.*

4 Schreiben Sie Sätze mit den angegebenen Begriffen und den Redemitteln auf ein gesondertes Blatt Papier. Der Inhalt muss nicht immer sachlich korrekt sein.

| ein Deich | die Küstenlinie | die Kosten für den Küstenschutz |

| Deiche in Deutschland und den Niederlanden | Ebbe und Flut |

Eigenschaften	> etwas besteht aus ...
	> etwas ist groß/klein/hoch/niedrig/stark/ schwach/teuer/billig/günstig/...
Vergleich	> es gibt mehr/weniger ... als ...
	> etwas ist größer/kleiner/höher/niedriger/teurer/ billiger/günstiger/... als
Position	> etwas befindet sich in/auf/über/neben/...
	> etwas ist rechts/links/oben/unten/innen/ außen/...
Veränderung	> etwas verändert sich
	> etwas steigt/fällt
	> etwas reagiert auf ...
	> etwas wird mehr/weniger/größer/kleiner/...

ABBILDUNGEN UND TABELLEN BESCHREIBEN

Den Inhalt der Abbildungen und Tabellen müssen Sie im Text kommentieren. Folgende Fragen können Ihnen dabei helfen:
- Welche Eigenschaften werden dargestellt?
- Wie ist etwas im Vergleich zu etwas anderem?
- Wo befindet sich etwas?
- Wie verändert sich etwas?

Wenn Sie ein naturwissenschaftliches Fach studieren, beschreiben Sie häufig Prozesse, d. h. Sie geben zusätzlich an
- was passiert
- was sich verändert
- was das Ergebnis ist.

Verwenden Sie dazu Begriffe, die einen zeitlichen Ablauf beschreiben wie *zuerst, dann, danach, am Schluss* etc.

Ein Deich besteht aus Sand, Beton und Klei.

5 Beschreiben Sie die Tabelle auf Seite 38 oder die Abbildung auf Seite 40 mithilfe der Fragen aus dem Infokasten und den Redemitteln. Verwenden Sie dafür ein gesondertes Blatt Papier.

6 Beschreiben Sie den Prozess in der Abbildung mit den passenden Redemitteln.

Abb. 4: Schematische Darstellung des Wasserkreislaufs (Rupert 2013, S. 69)

1. Einleitung

In den letzten Jahren wurde in den Nachrichten immer häufiger von sogenannten „Quallenplagen" an Badestränden berichtet. Quallen traten dort in einer ungewöhnlich großen Menge auf. Es stellt sich die Frage, warum die Quallen auf einmal in so großer Zahl die Badenden belästigen und damit zu einem Problem wurden. Den Ursachen für diese Quallenplage soll in dieser Arbeit nachgegangen werden.

Der Schwerpunkt der Untersuchung liegt dabei auf den Veränderungen des Ökosystems Meer und den damit verbundenen Änderungen im Lebensraum der Quallen. Die Darstellung basiert auf der Auswertung von Studien und Untersuchungen, die in den letzten zwei Jahrzehnten zu diesem Thema gemacht wurden.

Nach der Einleitung werden im zweiten und dritten Kapitel grundlegende Informationen über Quallen und deren Lebensraum in unseren Breiten, die Nordsee, gegeben. In Kapitel 2 wird zunächst eine Übersicht über den Aufbau der Quallenkörper, die Fortpflanzung der Quallen und deren optimale Lebensräume gegeben. Das Kapitel 3 wird mit einem Überblick über die Lage und Beschaffenheit der Nordsee eröffnet. Es folgt dann eine Beschreibung der Tier- und Pflanzenwelt dieses Meeres.

Danach werden im vierten Kapitel die Ursachen aufgeführt, die zu veränderten Lebensbedingungen in einem Meer führen können. Als Ursachen werden insbesondere die Erwärmung der Meere und die Verschmutzung durch Abwässer erkannt.

Im folgenden fünften Kapitel werden die Veränderungen der Lebensbedingungen der Quallen näher betrachtet: Die Reduzierung der natürlichen Feinde und das verbesserte Nahrungsangebot wirken sich auf die Vermehrung der Quallen aus. Dazu kommt noch die Immigration neuer Arten in vorhandene Ökosysteme aufgrund der Erwärmung der Meere.

Abschließend werden die möglichen Gefahren der übermäßigen Vermehrung der Quallen für die Nordsee geschildert, wobei hier sowohl Probleme für die Tierwelt als auch für den Menschen berücksichtigt werden.

Als Literaturgrundlage sind vor allem die Arbeiten von Werks (2011), Derssen (1999) und Norberg (2005) zu nennen, die sich ausführlich mit den Lebensbedingungen der Quallen auseinandergesetzt haben. Sehr hilfreich waren zudem die Artikel von Quadflieg (2008) und Chros (2009), die sich mit den Auswirkungen der globalen Erwärmung auf die Weltmeere beschäftigen.

Thema: Die Vermehrung der Quallen in der Nordsee und deren Ursachen

Gliederung

Eine Einleitung schreiben

1 Markieren Sie stichwortartig wie im Beispiel am Rand der Einleitung auf Seite 52 die Teile, mit denen die Fragen aus dem Infokasten beantwortet werden.

2 Wo ordnet die Autorin das Thema in einen größeren Zusammenhang ein? Notieren Sie die Zeilen.

Zeile _____ bis _____

3 Sie haben bereits den Hauptteil Ihrer Hausarbeit *Die Auswirkungen des erhöhten Meeresspiegels auf die Nordseeküste* formuliert und wollen nun die Einleitung schreiben. Beantworten Sie zunächst anhand der Gliederung, die Sie auf Seite 43 erstellt haben, und den folgenden Notizen die Fragen aus dem Infokasten. Verwenden Sie ein gesondertes Blatt Papier.

Thema: ...

Fragestellung:

Methode: Auswertung Forschungsliteratur und Messdaten

Argumentationsaufbau:

wichtige Titel: Herrmanns (2005) für Auswirkungen auf die Meeresspiegelerhöhung und für Schutzmaßnahmen; Lauf (2008) und Drossard
(2010) für Messdaten und deren Interpretation

> **DIE FUNKTION EINER EINLEITUNG VERSTEHEN**
>
> In der Einleitung geben Sie einen Überblick über den Inhalt und den Zweck Ihrer Arbeit. Dazu sollten Sie kurz und prägnant folgende Fragen beantworten:
> - Was ist Ihr **Thema**?
> - Welche **konkrete Frage** möchten Sie beantworten?
> - Welche **Methode** verwenden Sie (Befragung, Literaturauswertung etc.)?
> - Wie ist Ihre **Argumentation** aufgebaut?
> - Welche **Informationsquellen** (Literatur, Datenerhebungen etc.) sind besonders wichtig?
>
> Sie können das Thema in einen größeren Zusammenhang einordnen, indem Sie z. B. Bezug nehmen zu historischen Ereignissen, aktuellen Debatten o. Ä.

4 Sehen Sie die Beispiele in der Tabelle an und ergänzen Sie weitere Redemittel aus der Einleitung auf Seite 52.

Das Thema nennen und näher bestimmen	Das Thema ist ... —
Die Abfolge der Argumentation beschreiben	zunächst —
Die Inhalte präsentieren	soll ... dargestellt werden —

> **DIE EINLEITUNG FORMULIEREN**
>
> Sie können sich das Schreiben der Einleitung vereinfachen, indem Sie bestimmte Redemittel verwenden, die Sie dabei unterstützen, die relevanten Informationen zu formulieren und strukturiert darzustellen.

5 Schreiben Sie nun mithilfe Ihrer Notizen aus Aufgabe 3 auf einem gesonderten Blatt Papier eine Einleitung für Ihre Hausarbeit über *Die Auswirkungen des erhöhten Meeresspiegels auf die Nordseeküste*.

Den Schluss schreiben

1 **Der Schlussteil einer Hausarbeit soll drei Funktionen erfüllen: *Zusammenfassung*, *Fazit* und *Ausblick*. Ordnen Sie die Funktionen den Erklärungen zu.**

> ....: Die Ergebnisse der Arbeit werden kritisch betrachtet und hinsichtlich der

Fragestellung beurteilt.

> ....: Auf offene Fragen bzw. weiterführende Fragestellungen wird hingewiesen.

> ....: Die Ergebnisse der Arbeit werden in knapper Form dargestellt, ohne neue

Informationen anzuführen.

2 **Markieren Sie im folgenden Text diejenigen Teile, die den drei Funktionen des Schlusses einer Hausarbeit entsprechen.**

7. Schlussbetrachtung

Das Ziel dieser Arbeit war es, die Zusammenhänge zwischen den Veränderungen innerhalb des Ökosystems Meer und der starken Vermehrung der Quallen am Beispiel der Nordsee darzustellen.

5 Dazu erfolgte zuerst eine allgemeine Beschreibung sowohl der Lebensform Qualle als auch der Nordsee als Lebensraum. Hier wurde festgestellt, dass jede Quallenart spezielle Bedingungen benötigt, um sich normal zu entwickeln, Nahrung zu finden und sich fortpflanzen zu können. Weiterhin wurde dargelegt, dass die Nordsee mit ihren spezifischen Temperatur- und
10 Wassereigenschaften der ideale Lebensraum für bestimmte Quallenarten ist. Dagegen bevorzugen andere Arten Lebensräume mit z. B. höheren Wassertemperaturen.

Die im vierten Kapitel erläuterten Veränderungen der Beschaffenheit der Meere durch die Klimaerwärmung und die vermehrte Einleitung von
15 industriellen Abwässern führen ebenfalls zu einer Veränderung der Qualität des Wassers und somit auch zu einer Veränderung der Lebensbedingungen der Quallen. (...)

Anhand der vorhandenen Forschungsergebnisse konnte also gezeigt werden, dass diese Veränderungen der Lebensbedingungen sich nicht negativ
20 auf die Vermehrung der Quallen, sondern positiv auswirken: Die Vermehrung ist hauptsächlich auf diese Erwärmung der Meere und das Einleiten von Abwässern zurückzuführen. Es wurde anschließend belegt, dass diese Vermehrung zu einer Gefahr für das gesamte Ökosystem der Nordsee werden kann. (...)

25 Im Hinblick auf eine weitere Ausarbeitung dieser Thematik wäre es interessant zu untersuchen, was man kurzfristig gegen diese Vermehrung unternehmen könnte.

KOMPONENTEN
EINES SCHLUSSKAPITELS
VERSTEHEN

Im Schlussteil werden die im Hauptteil gefundenen Ergebnisse kurz zusammengefasst (**Zusammenfassung**) und hinsichtlich der in der Einleitung genannten Fragestellung interpretiert und bewertet (**Fazit**). Falls die Ergebnisse neue Fragen aufwerfen, können diese als weiterführende Forschungsmöglichkeiten aufgeführt werden (**Ausblick**).
Je nach Art der Hausarbeit bzw. nach den Anforderungen des Fachs muss der Schlussteil nicht alle drei Funktionen erfüllen. Beachten Sie aber folgende Regeln:
- Teilen Sie im Schlussteil keine neuen Informationen mit.
- Vermeiden Sie, Inhalte aus dem Hauptteil ausführlich zu wiederholen.

Der Schlussteil sollte in etwa die gleiche Länge haben wie die Einleitung.

3 Ordnen Sie die folgenden Redemittel den passenden Funktionen zu.

Im Fokus der Überlegungen standen ...   Daraus ergibt sich, dass ...   Hier wird deutlich, dass ...

Zielsetzung der vorliegenden Arbeit war ...   Dies beweist, dass ...

Im Hinblick auf eine weitere Ausarbeitung dieser Thematik ...

Um diese Frage zu klären, bedarf es weiterer Untersuchungen.   Man kann zu dem Schluss kommen, dass ...

Zusammenfassung	....
	....
	....
Fazit	*Daraus ergibt sich, dass ... —*
	....
	....
Ausblick	....
	....
	....

4 Ergänzen Sie die Tabelle aus Aufgabe 3 mit den Redemitteln aus dem Text auf Seite 54.

5 Lesen Sie die beiden Ausschnitte aus einem Schlussteil. Welche Version ist besser? Begründen Sie Ihre Antwort.

A Im fünften Kapitel wurde dargestellt, wie sich die veränderten Umweltbedingungen auf Quallen auswirken. Zuerst wurde auf die verminderte Zahl an Fressfeinden eingegangen. Diese Verminderung hat ihre Ursache in den veränderten Lebensbedingungen, die diese Tiere dazu zwingt, in andere Gebiete auszuweichen. Dort angekommen, können sie ihren gewohnten Lebensrhythmus wieder aufnehmen. Was in diesem Zusammenhang noch nicht erwähnt wurde, ist die damit verbundene Umstellung der Quallen auf die neue, sicherere Lebenssituation. Die Quallen können sich nun (...)

B Danach wurden die veränderten Umweltbedingungen und ihr Einfluss auf Quallen erläutert. Es konnte gezeigt werden, dass sich die Verringerung der Fressfeinde, die verbesserte Nahrungssituation und der Zuzug neuer Quallenarten auch auf die veränderten Temperaturbedingungen und die Wasserqualität zurückführen lassen. Alle drei Faktoren können sich positiv auf die Entwicklung der Quallenzahl auswirken. Dazu wurde festgestellt, dass (...)

....

....

....

Inhaltsverzeichnis und Literaturverzeichnis anlegen

1 Markieren Sie die Fehler in dem Inhaltsverzeichnis. Sehen Sie sich dazu auch noch einmal die Gliederung auf Seite 52 an.

Inhaltsverzeichnis

2 Sehen Sie sich das folgende Literaturverzeichnis an. Welche Struktur- und Gliederungsmerkmale fallen Ihnen auf? Markieren Sie.

Literaturverzeichnis
Alphabetische Sortierung

FELTEN, Maria: Die Veränderung der Nordseeküste seit dem 18. Jahrhundert. In: *Zeitschrift für Bau- und Siedlungsgeschichte 36* (2012), S. 34–40

FRANZEN, Olaf: *Wo Wellen wüten.* www.die_sieben_weltmeere.de/1755613.html (Stand: 09.07.2014)

GRUNDEIS, Ella: Küstendeiche. In: HOCH, Thilo (Hg.): *Deichbau in Deutschland.* Jena : Gold Verlag, 2008, S. 27–34

HERRMANNS, Gerolf: Überschwemmungen und andere Naturkatastrophen. Frankfurt : Hinzen, 2005

DERS.: Küstenschutz im 21. Jahrhundert. Frankfurt: Hinzen, 2014

UNGER, Karl; HEGENER, Jens: Die Weltmeere : Was Sie schon immer wissen wollten. Neuburg : Biber, 2013, S. 19–25

Abbildungs- und Tabellenverzeichnis anlegen und ein Deckblatt gestalten

1 Erstellen Sie für die Abbildungen auf Seite 50, Aufgabe 1 ein Abbildungsverzeichnis.

....

....

....

2 Markieren Sie die Fehler in dem folgenden Deckblatt.

Hausarbeit

Seminar „Einführung in die Meeresbiologie"

Die Vermehrung der Quallen in der Nordsee und ihre Ursachen

von mir selbst geschrieben

Ben van Eijk

Kurzüberblick:
1. Einleitung
2. Quallen
3. Die Nordsee
4. Veränderung des Ökosystems Meer
5. Auswirkungen eines veränderten Ökosystems auf die Qualle
6. Literaturverzeichnis
7. Tabellen- und Bildverzeichnis

Institut für Biologie
Seminarleiter:
Prof. Dr. Eva Winter
e.winter@uniprof.de

Ben van Eijk
Tel: 0123-456789
bveijk@unistudi.de
Facebook: einfach nach meinem Namen suchen

---

3 Erstellen Sie ein Deckblatt zu Ihrer Hausarbeit *Die Auswirkungen des erhöhten Meeresspiegels auf die Nordseeküste*. Sie schreiben die Hausarbeit an der *Ruhr-Universität Bochum, Geografisches Institut*, für das Seminar *Einführung in die Geografie* bei Frau Prof. Dr. Hofstetter.

Einen Text überarbeiten

DEN TEXT AUF FEHLER KONTROLLIEREN

1 **Bei der Überarbeitung kontrollieren Sie Inhalt und Sprache Ihres Textes. Sehen Sie noch einmal die Infokästen zum Thema Hausarbeit (Seite 39–57) an und notieren Sie Aspekte, die Sie überprüfen sollten.**

Sie haben Ihre Arbeit fertig geschrieben und auch bereits alle Verzeichnisse und das Deckblatt erstellt. Nehmen Sie sich jetzt ausreichend Zeit, um Ihren Text zu überarbeiten. Sie sollten dabei in erster Linie den Inhalt und die Sprache überprüfen.

Folgende Hinweise können Ihnen dabei helfen:

- Legen Sie den Text für ein paar Tage beiseite. Wenn Sie ihn dann erneut lesen, werden Ihnen viele Dinge auffallen, die Sie vorher übersehen haben.
- Lassen Sie andere Personen Ihre Arbeit lesen.
- Drucken Sie den Text aus. Fehler lassen sich häufig leichter finden, wenn man den Text auf Papier statt auf dem Bildschirm liest.

Inhalt	korrekt paraphrasiert? –
Sprache	kein „Ich"? –

2 **Wie helfen Ihnen die Tipps aus dem Infokasten bei der Überarbeitung? Ordnen Sie zu.**

☐ Sie bekommen gedanklichen Abstand zum Text und können so den inhaltlichen Aufbau und Zusammenhang besser überprüfen.

☐ Ihr Text wird aus einer anderen, eventuell auch fachfremden Sicht betrachtet und auf seine Verständlichkeit geprüft.

☐ Sie können Fehler in der Rechtschreibung und Grammatik besser erkennen.

1 den Text für eine Zeit weglegen
2 den Text ausdrucken
3 den Text von anderen Personen lesen lassen

3 **Was sollte man zuerst überprüfen, den Inhalt oder die Sprache? Notieren Sie Ihre Vermutung.**

4 **Lesen Sie noch einmal Ihre Einleitung, die Sie für Seite 53, Aufgabe 5 geschrieben haben, und markieren Sie ggf. Fehler. Tauschen Sie dann die Einleitung mit Ihrer Nachbarin / Ihrem Nachbarn aus. Findet sie/er noch weitere Fehler?**

Die Funktion eines Abstracts erkennen

1 Der Begriff *abstract* kommt aus dem Englischen. Schauen Sie in einem englisch-deutschen Wörterbuch nach, welche Bedeutungen das Wort auf Deutsch hat und ergänzen Sie die Grafik.

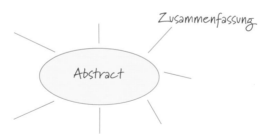

Zusammenfassung

Abstract

2 Sprechen Sie im Kurs über die Bedeutungen der deutschen Übersetzungen und welche davon der Funktion eines wissenschaftlichen Abstracts am ehesten entsprechen.

3 Welche Eigenschaften treffen auf ein Abstract zu? Kreuzen Sie an.

> Ein Abstract ist   ○ detailliert.   ○ kompakt.
> Ein Abstract soll   ○ beeinflussen.   ○ informieren.
> Die inhaltliche Darstellung ist ○ objektiv.   ○ persönlich.
> Der Aufbau ist   ○ beliebig.   ○ formell festgelegt.
> Ein Abstract ist eine   ○ Zusammenfassung. ○ kritische Bewertung.

4 In welcher Situation kann es ausreichen, zunächst nur das Abstract zu lesen? Kreuzen Sie an und begründen Sie mündlich.

> Zur Vorbereitung der nächsten Seminarsitzung sollen Sie anhand des Artikels *Die Übersetzung fremdsprachlicher Filme* die unterschiedlichen Methoden zur Übersetzung herausarbeiten. ○
> Ihre Dozentin gibt Ihnen die Aufgabe, für das Seminar eine Literaturliste zum Thema *Synchronisation im deutschen Kino* zusammenzustellen. ○
> Sie möchten ein Buch zum Thema *Synchronisation im deutschen Kino* kaufen und sich vorher darüber informieren, welche Meinung andere Leserinnen und Leser zu dem Buch haben. ○
> Sie suchen in der *Zeitschrift für Filmsynchronisation* passende Veröffentlichungen für Ihre Hausarbeit über das Thema *Grammatikprobleme bei der Übersetzung von Filmdialogen*. ○

5 Sie suchen Literatur zum Thema *Kulturelle Aspekte bei der Übersetzung von Filmdialogen*. Lesen Sie das Abstract auf Seite 60 und überlegen Sie, ob der dazugehörige Artikel für Sie interessant wäre. Begründen Sie Ihre Antwort.

....

....

....

....

Zeitschrift für Filmsynchronisation 6 (2013), S. 14–19

Sprachliche Aspekte bei der Übersetzung von Film- und Fernsehproduktionen

Elena Linkert und Karsten Neuhaus

Institut für Kommunikationswissenschaft der Universität Bamberg

Abstract

Der vorliegende Artikel beschäftigt sich mit den sprachlichen Aspekten der Synchronisation von Fernseh- und Kinoproduktionen in Deutschland. Dabei wird speziell die Frage überprüft, welche Rahmenbedingungen und Abläufe nötig sind, um vom Originaldialog zur deutschen Übersetzung zu gelangen. Das Ziel dieser Arbeit ist es, die Herstellung eines Synchronisationstextes in seinen einzelnen Schritten darzustellen und zu erklären. Die Beschreibung der Arbeitsabläufe wird anhand aktueller Literatur dargestellt und durch konkrete Beispiele ergänzt. Nach einer kurzen Darstellung der Bedeutung von Synchronität bei Übersetzungstexten beschreibt die Autorin die Rahmenbedingungen bei der Synchronisation, angefangen bei der Rohübersetzung über die Synchronübersetzung bis hin zum Synchrontext. Die Eigenschaften von Synchrondialogen werden anschließend erläutert. Dabei wird speziell auf die Bereiche Stil, Stimmmerkmale und Anglizismen eingegangen. Bei der anschließenden Darstellung der Bearbeitungsmethoden erläutert die Autorin die unterschiedlichen Gründe, die zur Änderung eines Dialogs führen können. Besondere Bedeutung haben hier technische Änderungen aufgrund von Lippenbewegung, Gestik und Mimik sowie kulturbedingte Änderungen aufgrund von Dialekten, Anpassungen an den Publikumsgeschmack und Humor. Als Ergebnis stellt die Autorin fest, dass die Synchronisation an strenge Regeln und Vorgaben gebunden ist. Die Einhaltung dieser Regeln wirkt sich somit auf die sprachlichen Aspekte der Synchrondialoge aus. Damit lässt sich erklären, warum viele Synchrontexte keine direkten Übersetzungen der Originaldialoge sind und zum Teil inhaltliche Unterschiede aufweisen.

Einleitung

Eine Übersetzung beschäftigt sich mit der Übertragung von Texten aus der einen in eine andere Sprache, wobei sie sich dabei, bezüglich der Treue zum Original (Worttreue, Inhaltstreue) nach der Textart und deren Zweck richten sollte.

Synchrontexte stellen eine spezielle Art der Übersetzung dar, da sie zwar Eigenschaften eines Übersetzungstextes aufweisen, zusätzlich aber Anforderungen genügen müssen, die an andere Übersetzungen nicht gestellt werden. Neben der inhaltlichen Übereinstimmung muss bei Synchrontexten auch der gesprochene Text mit dem Geschehen im Film in Einklang gebracht werden. Dies stellt die Übersetzer vor eine besondere Herausforderung, da der übersetzte Text selten genauso lang ist wie der Originaltext und die Lippenbewegungen der Schauspielerinnen und Schauspieler nicht mit dem übersetzten Text übereinstimmen.

Das Gebot der Synchronität hat oberste Priorität, was häufig dazu führt, dass die Anforderungen an Übersetzungen bezüglich Treue zum Textinhalt manchmal vernachlässigt werden. Um einen Filmtext synchron zu gestalten, müssen verschiedene Arten der Synchronität beachtet werden (u. a. Lippensynchronität, Synchronität von Gestik und Mimik). Dadurch ergeben sich bei der Erstellung eines Synchrontextes sehr häufig Probleme mit der Abstimmung von Textinhalt und dem Anpassen des Textes an das Bild. Selten ist es möglich, alle Arten der Synchronität einzuhalten, da sie sich gegenseitig beeinflussen und voneinander abhängen.

Den Inhalt eines Abstracts strukturieren

1 Im Infokasten von Seite 59 wurde der Aufbau eines Abstracts beschrieben. Suchen Sie in dem Abstract von Seite 60 die passenden Teile und notieren Sie die Zeilen.

> Thema: Zeile _____ bis _____

> Ziel/These: Zeile _____ bis _____

> Methode: Zeile _____ bis _____

> Ergebnis: Zeile _____ bis _____

2 Schreiben Sie die Sprachmittel in die passenden Zeilen der Tabelle.

Das Resultat der Untersuchung / der Testreihe / des Forschungsprojekts ist, ...   Das Thema des Textes ist...

Dazu verwendet sie folgende Methode: ...   Mithilfe ... versucht der Autor seine Hypothese zu belegen.

Der Gegenstand des vorliegenden Artikels ist ...   Um seine These zu belegen, geht er wie folgt vor: ...

Die Autoren möchten mit ihrer Arbeit zeigen/beweisen, dass ...   Der Autor vertritt die These, dass ...

Die Autorin untersucht die Frage, ob/wie/warum ...   Die Intention der Autorin ist zu demonstrieren, dass ...

Die Schlussfolgerungen der Autorin sind: ...   Im Mittelpunkt des Textes steht ...

Thema	
Ziel/These	
Methode	
Ergebnis	

3 Ergänzen Sie die Tabelle mit passenden Sprachmitteln aus dem Abstract von Seite 60.

4 Formulieren Sie die verschiedenen Teile des Abstracts von Seite 60 mit den Redemitteln der Tabelle von Aufgabe 2 um. Benutzen Sie dafür ein gesondertes Blatt Papier.

Die Bedeutung der Lippenbewegung bei der Filmsynchronisation

Karin Gerolf

Einleitung

In Deutschland werden die meisten Filme in einer deutschen Sprachfassung gezeigt, auch wenn diese Filme
5 eigentlich im Ausland produziert und von Schauspielern mit einer anderen Muttersprache als Deutsch gesprochen wurden. Die Anfertigung einer passenden Tonspur in einer anderen als der Originalsprache nennt man
Synchronisation. Sie steht im Gegensatz zur *Untertitelung* eines Films, bei der die Originaltonspur erhalten
bleibt, jedoch eine schriftliche Übersetzung der Dialoge eingeblendet wird. In diesem Aufsatz wird beschrieben, welche Unterschiede zwischen einer Übersetzung für Filme und Bücher bestehen und worauf es bei einer
10 guten Übersetzung für eine Synchronisation ankommt. Außerdem werden die Ergebnisse einer Untersuchung
zu Hörer-/Seher-Verhalten bei einer schlechten Synchronisation dargestellt und analysiert.

Elemente einer optimalen Synchronisation

Die grundlegende Aufgabe der Filmsynchronisation ist es, eine Art Illusion zu schaffen. Wenn den Zuschauern
nicht auffällt, dass es sich nicht um das Original, sondern um eine bearbeitete Fassung handelt, ist die Illusion
15 geglückt. Wenn diese Illusion nicht glückt, führt es dazu, dass sich die Zuschauer in dem Hör-/Seh-Erlebnis
gestört fühlen, was auch auf die Bewertung der Qualität des eigentlichen Films Einfluss hat: Es ist möglich,
dass solche Filme negativ bewertet werden, obwohl nur die Synchronisation nicht optimal ausgeführt wurde.
(Näheres dazu in der Analyse meiner Untersuchung.)
Eine optimale Synchronisation ist dann gegeben, wenn sowohl sprachlich als auch kulturell keine Störungen
20 bei der Rezeption des Films auftreten.
Kulturelle Störungen können entstehen, wenn für das Verständnis des Textes kulturelle Hintergrundinformationen notwendig sind, über die die Zuschauer wahrscheinlich nicht verfügen. Die Übersetzung muss in einem
solchen Fall nicht nur eine sprachliche, sondern auch eine kulturelle Übertragung leisten. Insbesondere bei
Komödien ist diese Gefahr vorhanden, da komische Situationen und Witze häufig vor einer sehr spezifischen
25 gesellschaftlichen Folie funktionieren, deren Kenntnis für das Verständnis unbabdingbar ist.
Zu sprachlichen Störungen kommt es, wenn die Sprechbewegungen der Schauspieler und der übersetzte Dialog
nicht ausreichend aneinander angepasst sind. Die Lippenbewegungen der Schauspieler, die in der einen Sprache sprechen, müssen identisch oder zumindest nahezu identisch mit den – nicht sichtbaren – Lippenbewegungen der Synchronsprecher sein, die ihnen ihre Stimme leihen und in einer anderen Sprache sprechen: Man
30 spricht im gelungenen Fall einer sprachlichen Synchronisation von *Lippensynchronität*.
(...)

Analyse einer Untersuchung zur Zuschauerbewertung von Filmen

Die oben beschriebene Untersuchung hat also ergeben, dass die Bewertung der Qualität und vor allem Seriösität von ausländischen Filmen in einem entscheidenden Maße von der Lippensynchronität der Filme abhängt.
35 Kulturelle Verständnisschwierigkeiten wurden von den Probanden auf eigene Unkenntnis zurückgeführt (vgl.
Anhang 2, Tabelle 5), während eine falsche Lippensynchronisation als ein Fehler in der Qualität des Films
bewertet wurde (vgl. Anhang 2, Tabelle 5).
(...)

Resümee

40 Wir können also festhalten, dass die Untertitelung eines Filmes einer Synchronisation vorzuziehen ist, wenn
bei von Deutsch sehr verschiedenen Sprachen eine Lippensynchronisation wahrscheinlich nicht erreicht werden kann. Dagegen ist es schwieriger, kulturspezifische Probleme in die Zielsprache zu übertragen, auch ...

Ein Abstract formulieren

1 Textverständnis: Lesen Sie den Text auf Seite 62 und ordnen Sie die folgenden Aussagen so zu, dass sie den Inhalt des Textes wiedergeben.

1 Nach der Meinung der Autorin ist es wichtig, eine Übersetzung so zu gestalten, dass sie lippensynchron gesprochen werden kann.

2 Ein fehlendes Verständnis für kulturelle Informationen lasten sich die Zuschauer häufig selbst an.

3 Bei extremer Verschiedenheit der Ausgangs- und Zielsprache ist es schwierig, die Dialoge so zu übersetzen, dass sie lippensynchron gesprochen werden können.

4 Eine optimale Synchronisation berücksichtigt auch die kulturellen Hintergründe.

5 Die beste Synchronisation ist wie eine Illusion.

a In diesen Fällen sollte auf eine Untertitelung der Filme zurückgegriffen werden, statt sie zu synchronisieren.

b Dafür muss eventuell auch von den Originaldialogen abgewichen werden.

c Dieses Unverständnis wird nicht als ein Mangel des Films bewertet.

d Die Übersetzung muss diese Informationen geeignet in die Zielsprachenkultur übertragen.

e Wenn den Zuschauern nicht auffällt, dass die Stimmen, die sie hören, nicht die Originalstimmen der Schauspieler sind, ist die Synchronisation gelungen.

1+b, 2+

2 Sie sollen ein Abstract zu dem Aufsatz *Die Bedeutung der Lippenbewegung bei der Filmsynchronisation* von Seite 62 schreiben. Identifizieren Sie zunächst wieder die Teile, in denen Sie Angaben zum Thema, zu Ziel und These, zur Methode und zum Ergebnis finden.

> Thema: Zeile ____ bis ____

> Ziel/These: Zeile ____ bis ____

> Methode: Zeile ____ bis ____

> Ergebnis: Zeile ____ bis ____

3 Warum sind diese Sätze in einem Abstract wahrscheinlich nicht akzeptabel? Notieren Sie die Gründe.

> Die meisten Filme in Deutschland wurden im Ausland produziert.

   Aussage nicht wesentlich

> Der Aufsatz gehört sicher zum Besten, was es zu diesem Thema gibt.

> So zeigt die Autorin an einem Film von Kurosawa, dass man exotische Sprachen schlecht synchronisieren kann.

EIN ABSTRACT INHALTLICH GESTALTEN

Ein Abstract ist die komprimierte Zusammenfassung eines längeren wissenschaftlichen Textes. Sie sollten dafür folgende inhaltliche Gestaltungsmerkmale berücksichtigen:
- Verallgemeinerung von Beispielen (**Abstraktion**)
- Konzentration auf das Wesentliche (**Auswahl**)
- Zusammenfassung von Details (**Konspekt**)

Die Sprache ist neutral und es wird keine Bewertung vorgenommen. Die Darstellung des Inhaltes sollte durch die oben genannten Bearbeitungen nicht verfälscht werden.

4 Bevor Sie zu dem Text auf Seite 62 ein Abstract formulieren, streichen Sie in dem Text alles durch, was Ihrer Meinung nach nicht wichtig ist.

5 Schreiben Sie ein Abstract für den Text auf Seite 62. Die Anmerkungen in Klammern helfen Ihnen, das Abstract zu strukturieren.

(Einleitungssatz zum Thema des Abstracts)

....

....

(Beschreibung der These)

....

....

....

....

(Beschreibung der Methode)

....

....

....

....

....

....

....

(Beschreibung des Ergebnisses)

....

....

....

....

....

Die Qualität eines Handouts beurteilen

1 **Sie hören in einem geografischen Seminar einen Vortrag über das** *Land-See-Windsystem*. **Lesen Sie den Vortrag auf Seite 85 nach. Welche Elemente und Texte sind für das Handout zu dem Vortrag sinnvoll? Kreuzen Sie an.**

☐ An der deutschen Nordseeküste weht oft ein starker Wind.

☐ Das Land-See-Windsystem haben viele bereits unbewusst im Urlaub erfahren.

☐ ➤ Windrichtung und Windgeschwindigkeit werden mit Symbolen angegeben. Der Kreis zeigt den Ursprung des Windes, die Striche die Stärke: hier also ein Sturmwind mit ca. 100 km/h aus Osten.

☐ Die Bewegung des Windes, die in der Nacht vom Land zum Meer und während des Tages vom Meer zum Land erfolgt, wird in der geografischen Literatur als *Land-Seewind-Zirkulation* bezeichnet.

☐

DIE FUNKTION EINES HANDOUTS VERSTEHEN

Ein Handout soll den Vortrag einer/s Referentin/en begleiten, indem es die Zuhörer beim aktiven Zuhören unterstützt. Ein Handout enthält daher die wichtigsten Informationen des Vortrags, z. B.
• die Hauptthesen
• entscheidende Zahlen
• wichtige Grafiken
• wichtige Definitionen
• Gründe und Schlussfolgerungen
• weiterführende Gedanken und evtl. Handlungsaufforderungen.
Ein gut gemachtes Handout leitet den Zuhörer unterstützend durch den Vortrag, lenkt aber nicht vom Vortrag selbst ab.

2 **Sicher haben Sie schon einige Vorträge gehört und auch Handouts dazu bekommen. Aus welchen Gründen können Handouts vom eigentlichen Vortrag ablenken? Sprechen Sie zu zweit über Ihre Erfahrungen und notieren Sie Gründe.**

....

....

....

3 **Schreiben Sie passende Sätze für ein Handout zum folgenden Vortrag.**

Sie sagen in Ihrem Vortrag:
„Während des Tages heizt sich durch die Sonneneinstrahlung das Land stärker auf als das Meer. Die warme Luft steigt auf und es entsteht ein Unterdruck. Dieser Unterdruck wird ausgeglichen durch das Nachströmen von kälterer Luft vom Meer. Das ist der Grund dafür, dass am Tag der Wind vom Meer zum Land weht. Man nennt diesen Wind *Seewind*."

So könnten Sie diesen Punkt des Vortrags auf dem Handout begleiten:

- Seewind:
  —

....

....

....

EIN HANDOUT GESTALTEN

Ein Handout sollte kurz und übersichtlich sein:
• Schreiben Sie kurze zusammenfassende Sätze, die Ihre Hauptgedanken wiedergeben.
• Gliedern Sie das Handout so, dass sich die Zuhörer einfach zurechtfinden. Verweisen Sie in Ihrem Vortrag auf die Punkte in dem Handout.
Die Zuhörer sollten später Ihren Vortrag anhand des Handouts nachvollziehen können. Ein einfacher Ausdruck der Präsentationsfolien ist meist nicht die beste Lösung für dieses Ziel.

Veranstaltung: .... Seminarleiterin: ....

Ort: .... Referentin: ....

Datum: ....

Land-See-Windsystem

Gliederung

- Einleitung
- Das Phänomen des *Land-See-Windsystems* (LSWS)
- Ursachen des LSWS
- Konvergenz

Seewind

Tagsüber: Die Luftmassen erwärmen sich tagsüber über dem Land stärker als über dem Meer.
Als Konsequenz entsteht ein Unterdruck, der durch Nachströmung von Luft aus der Richtung des Meeres ausgeglichen wird.

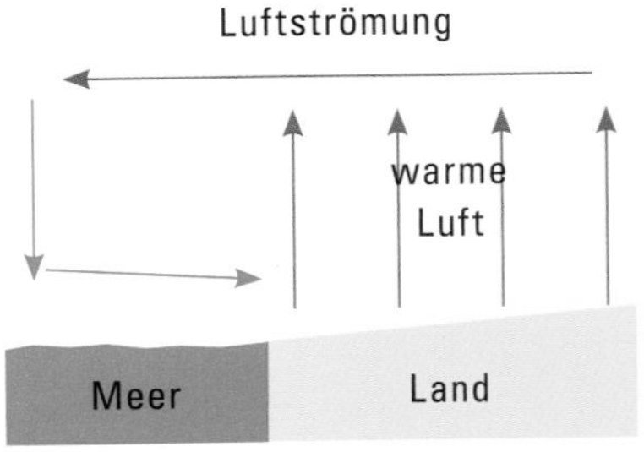

Grafik 1: Seewind

Landwind

Abends und nachts: Das Land erkaltet abends schneller als das Wasser des Meeres.
Als Folge steigt die warme Luft über dem Meer auf und es kommt nun zu einem Unterdruck über dem Meer, der durch Nachströmen von Luft aus der Richtung des Landes ausgeglichen wird.

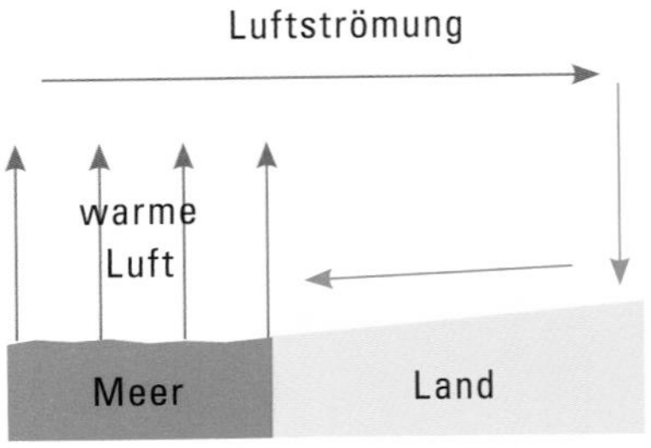

Grafik 2: Landwind

Stärke der Winde

Seewinde sind stärker als Landwinde, da die Temperaturunterschiede tagsüber stärker sind als nachts.

Konvergenz

Die Definition von Konvergenz ist: Luftmassen mit einem hohen Luftdruck bewegen sich in Richtung der Luftmassen mit tiefen Luftdruck.
Das Gegenteil ist Divergenz: Mit Divergenz bezeichnet man das Auseinanderfließen von Luftströmungen in den unteren Schichten (gewöhnlich in Gebieten mit hohem Luftdruck).

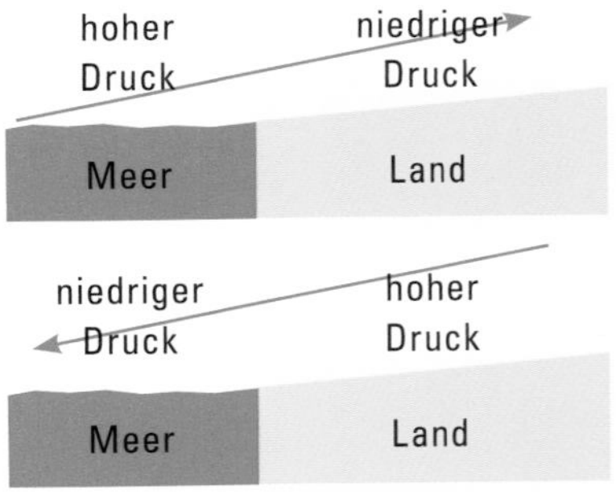

Grafik 3: Konvergenz
oben: Seewind, unten: Landwind

Literatur:

- HINGST, Walter: *Die Land-Seewind-Zirkulation*. Hamburg : Klos, 2004
- www.deutscher-wetterdienst.de/lexikon/index.htm?ID=L&DAT=Land-Seewind-Zirkulation
(Stand: 02.06.2014)

Den Inhalt eines Handouts formulieren

1 Schreiben Sie die Informationen in den Kopf des Handouts auf Seite 66.

Prof. Dr. Gundula Krause   Aishe Gülan   30.9.20..

Globale Windsysteme   Freie Universität Berlin, Institut für Meteorologie

2 Lesen Sie jetzt das ganze Handout auf Seite 66. Es enthält nur vollständige Sätze. Markieren Sie die Sätze, die man vielleicht auch in Stichworten verständlich formulieren könnte.

3 Arbeiten Sie zu zweit: Vergleichen Sie Ihre Markierungen bei Aufgabe 2 und schreiben Sie die Sätze jetzt in Stichworten.

Zeile 11–12: tagsüber. Luftmassen über Land erwärmen sich stärker als Luftmassen über Meer

4 Warum würde der Ausdruck dieser Folie als Handout für das Verständnis des Seewinds nicht genügen? Spechen Sie zu zweit.

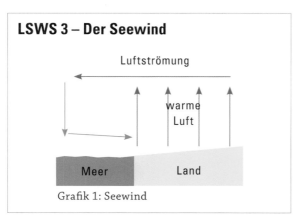

LSWS 3 – Der Seewind

Luftströmung

warme Luft

Meer   Land

Grafik 1: Seewind

5 Auf dem Handout auf Seite 66 wurde an einer Stelle eine Regel aus dem Infokasten nicht beachtet. Streichen Sie diese Stelle durch.

EIN HANDOUT FORMGERECHT ANFERTIGEN

In einem Handout gibt es Elemente, die immer vorhanden sein sollten. Sie werden in den oberen Teil des Handouts, den Kopf, geschrieben. Diese Elemente sind:
- der Titel
- der Ort
- das Datum der Veranstaltung sowie
- der Name der/s Seminarleiterin/s
- der Name der/s Referentin/en.

Am Anfang des Handouts kann eine Übersicht über den Inhalt Ihres Vortrags in Form einer Gliederung stehen. Am Ende sollten Sie die verwendete Literatur nennen.

INHALTE HÖRERFREUNDLICH FORMULIEREN

Formulieren Sie die Inhalte Ihres Handouts so, dass die Hörer sie erfassen, aber dennoch Ihrem Vortrag folgen können.
- Wenn Sie vollständige Sätze schreiben, formulieren Sie kurze Hauptsätze, keine Satzgefüge.
- Verwenden Sie Stichworte, wenn damit die Aussagen eindeutig bleiben, z. B. indem Sie Verben und Adjektive nominalisieren (vgl. *Campus Deutsch – Präsentieren und Diskutieren*, Seite 14). Unnötige Artikel können Sie weglassen.
- Verwenden Sie ganze Sätze vor allem, wenn es zum Verständnis nötig ist, z. B. bei Definitionen.

Verweisen Sie in Ihrem Vortrag oft auf das Handout, sodass die Zuhörer nicht die Orientierung verlieren. Inhalte, die Sie in Ihrem Vortrag nicht ansprechen, gehören nicht auf das Handout.

Ein Handout schreiben

1 Sie halten einen Vortrag zum Thema *Der Alpenföhn* in dem Seminar, das auf Seite 67 in Aufgabe 1 beschrieben wurde. Die Folien und Notizen für den Vortrag sehen Sie auf dieser Seite. Schreiben Sie das Handout dafür. Formulieren Sie passende Sätze und/oder Stichworte und tragen Sie sie in das Handout auf Seite 69 ein. Denken Sie dabei auch an den Kopf und evtl. an eine Gliederung. Platzieren Sie auch die Grafik an einer geeigneten Stelle.

Was ist *Föhn?* [1]

- Definition
    - > Fallwind, der im Lee (= dem Wind abgewandte Seite) der Alpen auftritt
- Merkmale
    - > warm und trocken
    - > plötzliche Temperaturveränderungen
    - > hohe Windgeschwindigkeiten
    - > klare Luft
    - > spezifische Wolkenbildung

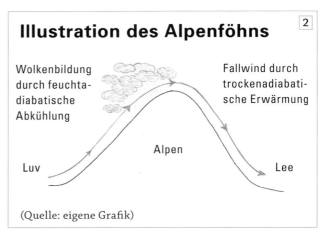

Illustration des Alpenföhns [2]

Wolkenbildung durch feuchtadiabatische Abkühlung

Fallwind durch trockenadiabatische Erwärmung

Alpen

Luv

Lee

(Quelle: eigene Grafik)

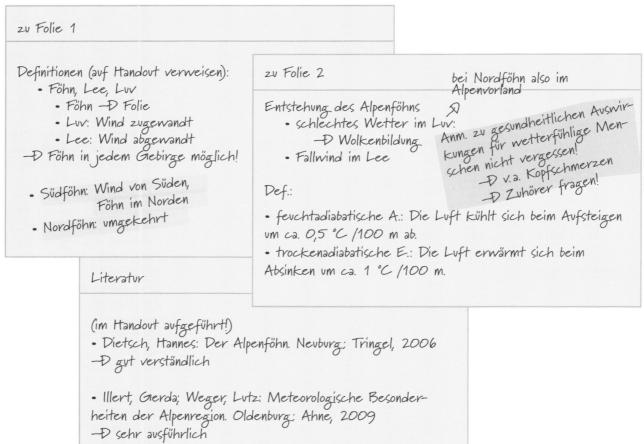

zu Folie 1

Definitionen (auf Handout verweisen):
- Föhn, Lee, Luv
    - Föhn –Đ Folie
    - Luv: Wind zugewandt
    - Lee: Wind abgewandt
–Đ Föhn in jedem Gebirge möglich!

- Südföhn: Wind von Süden, Föhn im Norden
- Nordföhn: umgekehrt

Literatur

(im Handout aufgeführt!)
- Dietsch, Hannes: Der Alpenföhn. Neuburg: Tringel, 2006
–Đ gut verständlich

- Illert, Gerda; Weger, Lutz: Meteorologische Besonderheiten der Alpenregion. Oldenburg: Ahne, 2009
–Đ sehr ausführlich

zu Folie 2

Entstehung des Alpenföhns
- schlechtes Wetter im Luv:
    –Đ Wolkenbildung
- Fallwind im Lee

bei Nordföhn also im Alpenvorland

Anm. zu gesundheitlichen Auswirkungen für wetterfühlige Menschen nicht vergessen!
–Đ v.a. Kopfschmerzen
–Đ Zuhörer fragen!

Def.:
- feuchtadiabatische A.: Die Luft kühlt sich beim Aufsteigen um ca. 0,5 °C /100 m ab.
- trockenadiabatische E.: Die Luft erwärmt sich beim Absinken um ca. 1 °C /100 m.

(Kopf)

Der Alpenföhn

(Folie 1)

(Folie 2)

(Literatur)

2 **Vergleichen Sie Ihr Handout mit dem Ihrer Nachbarin / Ihres Nachbarn. Wo gibt es Unterschiede? Warum? Sprechen Sie zu zweit darüber.**

Arbeitstechniken wiederholen

1 Paraphrasieren Sie das folgende Zitat. Infokästen Seite 44

„Durch die Verbrennung von fossilen Brennstoffen wie Öl und Kohle erschafft die Menschheit einen Planeten, auf dem Naturkatastrophen mit großer Wahrscheinlichkeit zunehmen werden. Hurrikane und Taifune, Überschwemmungen und Dürren werden die Zivilisation, die erst durch die Verwendung dieser fossilen Ressourcen hervorgebracht wurde, bedrohen und teilweise zerstören, wenn die Menschheit nicht mit dem momentanen verschwenderischen Lebensstil aufhört.

Aber selbst wenn wir morgen aufhören würden, fossile Brennstoffe zu nutzen, würden dennoch die bereits freigesetzen Treibhausgase unseren Planeten noch mehrere hundert Jahre aufheizen. Die künftigen Generationen müssen mit diesem Erbe umgehen. Sie werden sich mit einem wärmeren Klima und steigendem Meeresspiegel auseinandersetzen müssen. Nicht nur in den immer wieder zitierten Ländern der Dritten Welt, auch in Europa werden Städte, die an Küsten liegen, mit dem steigenden Meeresspiegel zu kämpfen haben. Bereits jetzt ist im Vergleich zu vor hundert Jahren der Meeresspiegel um etwa 20 Zentimeter angestiegen." (Infopost, 27, 20..)

....

....

....

....

....

....

2 Welche Aussagen zu einem Abstract sind korrekt? Kreuzen Sie an. Infokästen Seite 59, 63

> Ein Abstract soll den Leserinnen und Lesern als ein Mittel dienen, mit dessen Hilfe sie entscheiden können, ob es sinnvoll ist, den Originaltext zu lesen. ◯

> Ein Abstract sollte kurz sein. Es sollte vor allem das Ergebnis der Überlegungen des Originalautors enthalten. Wie sie/er zu dem Ergebnis gekommen ist, kann weggelassen werden, damit das Abstract nicht so lang wird. ◯

> In einem Abstract sollte man oft Beispiele bringen, da die Texte durch die Verallgemeinerungen schwer zu verstehen sind. ◯

> Man erreicht bei einem Abstract die notwendige Komprimierung des Inhaltes u. a. durch die Zusammenfassung von Details. ◯

> Das wichtigste Kriterium bei einem Abstract ist die Konzentration auf die wesentlichen Aussagen des Ursprungstextes. Wenn die wesentlichen Punkte schwer zu paraphrasieren sind, kann es aber vorkommen, dass ein Abstract einige längere wörtliche Zitate enthält. ◯

3 Ergänzen Sie den Text zur Funktion und Gestaltung von Handouts. Infokästen Seite 65

Ein Handout ist eine schriftliche (1) .... Ihres Vortrages, die den Zuhörern helfen soll, Ihren

Vortrag besser zu verstehen. Zudem sollte es Ihren Zuhörern die Möglichkeit geben, Ihren Vortrag zu einem späteren Zeitpunkt (2) .... Sie sollten daher Ihre wichtigsten Gedanken und auch wichtige

Definitionen als vollständige (3) .... formulieren. Verkürzte Sätze und (4) ....

sind nur dann sinnvoll, wenn man sie auch ohne die (5) .... des Vortrags verstehen kann.

Dokumentation

Protokoll – Praktikumsbericht

Zuhören, beobachten, notieren, organisieren, komprimieren, formvollendet zu Papier bringen = dokumentieren.

DAS LERNEN SIE

- Die Funktion eines Protokolls verstehen
- Protokollarten unterscheiden
- Effektiv mitschreiben
- Die Mitschrift organisieren
- Ein Protokoll strukturieren
- Den Anhang sinnvoll nutzen
- Aus der Mitschrift ein Protokoll erstellen
- Ein Protokoll formulieren
- Den Aufbau eines Praktikumsberichts verstehen
- Formell richtig schreiben

Einstieg

1 Ordnen Sie die Bilder den passenden Verben zu.

☐ *E* aufzeichnen ☐ erinnern ☐ wiederholen ☐ notieren ☐ wiedergeben ☐ informieren

2 Welche Beziehung haben diese Begriffe zu *Dokumentation*? Notieren Sie Ihre Vermutungen.

....

3 Welche Aussage passt zum Protokoll und welche zum Praktikumsbericht? Ordnen Sie zu.

> ....: „Ich konnte leider nicht alles mitschreiben, der Professor hat sehr schnell gesprochen. Aber ich denke, die wichtigsten Informationen habe ich notiert."

> ....: „Ich habe sowohl die guten als auch die nicht so guten Erfahrungen, die ich in den drei Monaten gemacht habe, aufgezeichnet."

Die Funktion eines Protokolls erkennen

1   Bei diesen Gelegenheiten werden Protokolle gemacht. Ordnen Sie die Bilder zu.

☐ Uni-Seminar

☐ naturwissenschaftliche Versuche

☐ politische Sitzungen

☐ Arbeitsbesprechungen

☐ Gerichtsverhandlungen

2   Bei welcher der Gelegenheiten aus Aufgabe 1 könnten diese Sätze im Protokoll stehen? Ordnen Sie zu.

☐ Die Reaktion der Flüssigkeiten erfolgt nach 5,2 Sekunden.

☐ Als nächster Punkt wird die Regelung der Mittagspause besprochen.

☐ Die Schlussfolgerungen des Vortrags werden im Anschluss diskutiert.

☐ Der Zeuge wird zu den Ereignissen befragt.

☐ Der Vertreter der Opposition hält eine Rede zur Steuerreform.

3   Welche Funktion haben Protokolle im Studium? Ordnen Sie die Begriffe den Erklärungen zu.

Leistungsnachweis   Informationsquelle   Arbeitsgrundlage

> Mithilfe von Protokollen kann man das Thema der vorherigen Unterrichtsstunde wiederholen und daran anschließen.

....

> Protokolle können dabei helfen, sich über eine versäumte Veranstaltung zu informieren oder sich auf eine Prüfung vorzubereiten.

....

> Mit Protokollen sollen die Studierenden zeigen, dass sie die Inhalte einer Veranstaltung systematisch und verständlich darstellen können.

....

DIE FUNKTION EINES PROTOKOLLS VERSTEHEN

In einem Protokoll halten Sie die Inhalte einer Veranstaltung, z. B. eines Seminars, in schriftlicher Form fest. Dabei müssen Sie nicht alles wortwörtlich mitschreiben. Das Ziel ist, alle Informationen zu notieren, mit denen Sie den Verlauf und die Ergebnisse der Veranstaltung wiedergeben können.
Im Studium haben Protokolle mehrere Funktionen:
• Leistungsnachweis
• Informationsquelle
• Arbeitsgrundlage

4 Im Studium werden in der Regel *Ergebnisprotokolle*, *Verlaufsprotokolle*, *Seminarprotokolle* oder *Versuchsprotokolle* angefertigt. Ergänzen Sie die folgenden Erklärungen mit den passenden Protokollarten.

> Das _____ gibt die Gesprächsentwicklung einer Veranstaltung wieder, d. h. die zentralen Beiträge und die Ergebnisse eines Gesprächs werden chronologisch dargestellt. Auf diese Weise kann man später den Ablauf einer Diskussion nachvollziehen.

> Mithilfe eines _____ werden der Verlauf und das Ergebnis eines Experiments festgehalten. Dazu werden auch die Methode sowie die verwendeten Materialien notiert.

> Im _____ werden die zentralen Inhalte einer Veranstaltung zusammengefasst. Sie werden systematisch geordnet, unabhängig von ihrer Reihenfolge. Der Schwerpunkt liegt hier auf der Dokumentation der Ergebnisse.

> Mit dem _____ werden die zentralen Inhalte und Ergebnisse sowie der Ablauf eines Gesprächs bzw. einer Diskussion festgehalten. Es ist also eine Mischform aus Verlaufs- _____ und Ergebnisprotokoll _____.

PROTOKOLLARTEN
UNTERSCHEIDEN

Man unterscheidet zwischen *Ergebnis-, Verlaufs-, Seminar-* und *Versuchsprotokollen*.
Die häufigste Protokollart im geisteswissenschaftlichen Studium ist wahrscheinlich das Seminarprotokoll.
In den naturwissenschaftlichen Fächern werden oft Versuchsprotokolle angefertigt.
Wenn Sie ein Protokoll schreiben, klären Sie zuvor ab, welche Protokollart verlangt wird und welche Vorgaben dafür gelten.

5 Welche Protokollarten sind hier dargestellt? Notieren Sie.

_____

Technische Hochschule Dresden
AG Elektromotor

Datum: 11.2.20..
Thema: Beschaffung der Teile für den Motor
anwesend: Udo, Mareike, Hassan, Mario, Ben, Pawel
abwesend: Luíz (krank)

Protokollant: René

Durch gemeinsame Absprache wurde folgende To-do-Liste beschlossen:

Name	To-do	Datum
• Hassan	Beschaffung eines Chassis	bis April
• Udo	mit Prof. Weiland wg.	bis spät.
	finanzieller Unterstützung	31. März
	durch die TH sprechen	
• Ben	besorgt techn. Pläne	bis April
• Pawel	Kontakt mit Studenten	bis April
	der TH Warschau wg. Zu-	

_____

Universität Bremen
Pädagogisches Institut
Seminar Lernpädagogik
Leiterin: Dr. Hoss
Protokollant: Stephen Brown
Datum: 6.9.20..

Thema: Leistungsunterschiede zwischen Jungen und Mädchen beim Lesen

In der heutigen Sitzung soll speziell auf die Stärken und Schwächen eingegangen werden, die Mädchen und Jungen beim Lesen unterschiedlicher Textsorten zeigen und welche Rolle die Motivation dabei spielt.
Am Anfang der Sitzung stellt Dr. Hoss den Leseverständnistest von PISA (Programme for International Student Assessment) vor. In diesem Test werden sowohl für kontinuierliche als auch nicht-kontinuierliche Texte drei Leistungsbereiche getestet:
   1. Ermitteln von Informationen aus dem Text,
   2. Interpretation des Textes,
   3. Reflexion und Bewertung der Informationen.
Im Anschluss daran stellt ein Seminarteilnehmer die Frage, was der Unterschied zwischen kontinuierlichen und nicht-kontinuierlichen Texten ist. Dr. Hoss erklärt, dass kontinuierliche Texte durchgehend geschrieben sind, nicht-kontinuierliche Texte dagegen durch Abbildungen, Tabellen und ähnliches unterbrochen sind. An der PISA-Studie nahmen ca. 175.000

Für das Protokoll mitschreiben

1 Benutzen Sie für Ihre Mitschrift ein Abkürzungssystem. Welche logischen Beziehungen könnten zu den Symbolen passen? Ordnen Sie zu.

~~aber~~   obwohl   deshalb   ungefähr

kleiner als   ist/entspricht   und   größer als

Symbol		Symbol	
→	....	~	....
//	aber	>	....
≠	....	<	....
=	....	+	....

2 Lesen Sie den Text und entscheiden Sie dann, welche der beiden Mitschriften besser ist. Kreuzen Sie an.

„Als Ergebnis der Untersuchung von Müller kam heraus, dass 75 % der Jungen bei Mathematikaufgaben besser abschnitten als Mädchen. In Teilbereichen allerdings sind die Mädchen den Jungen überlegen: Bei der Wahrscheinlichkeitsrechnung z. B. waren 72 % der Mädchen besser als die Jungen. Im Bereich der Naturwissenschaften liegen die Jungen in den Fächern Chemie und Physik vorne, die Mädchen behaupten sich dagegen im Fach Biologie."

Untersuchung von Müller:

– Mathe: 75% der J besser als M

     // Teilbereiche, z.B. Wahrschrechn.: 72% M besser

– Naturwiss.: Chemie + Physik: J besser

     Bio: M besser

   ○

Untersuchung:

– In M und P und C sind J besser als M (75%)

– In T sind Mädchen besser (z.B. W: 72%)

   ○

3 Formulieren Sie die folgenden Aussagen im Nominalstil.

> Zuerst stelle ich die Methode vor: …

Vorstellung der Methode

> Folgende Aspekte … werden getestet.

....

> Die Schülerinnen interpretieren den Text.

....

> Die Unterschiede reduzieren sich erheblich, ….

....

4 Lesen Sie die Transkription eines Seminarverlaufs auf Seite 86 und überlegen Sie, welche Wörter Sie abkürzen können. Notieren Sie die Wörter zusammen mit einer passenden Abkürzung.

Leistungsunterschiede = LU,

....

....

....

5 Erstellen Sie nun eine Mitschrift von diesem Vortrag. Notieren Sie die wichtigsten Informationen mithilfe der Techniken, die Sie auf Seite 74 kennengelernt haben. Die Vorlage hier ist nach dem Cornell-System unterteilt. Benutzen Sie bei Bedarf ein gesondertes Blatt Papier, das Sie nach diesem System aufgeteilt haben.

> ## DIE MITSCHRIFT ORGANISIEREN
>
> Hier einige Tipps für Ihre Mitschrift:
> - Benutzen Sie lose Blätter, die Sie später in einen Ordner einsortieren können.
> - Teilen Sie Ihr Blatt in systematische Bereiche auf, z. B. nach dem *Cornell-System*. So bekommen Sie Ordnung in Ihre Mitschrift.
> - Überarbeiten Sie Ihre Notizen noch am selben Tag, da Sie dann das Gehörte noch frisch im Gedächtnis haben.

Seite 1	Seminar Lernpsychologie (Raum L227), Prof. Meier, 25.09.20..
	Thema: Studie zum Leseverständnis (LV)
PISA =	Programme for International Student Assessment
Leseverständnistest	
von PISA:	
Methode	getestete Leseleistungen:
	1.
	2.
	3.
Ergebnisse	• 1 – 3: M besser als J; Unterschied 3 > 1+2
Mädchen vs.	
Jungen	

Die Studie zeigt, dass ...

....

Protokoll

.... : Universität Trier, Institut für Psychologie, Raum 15

.... : Lernpsychologie

.... : Prof. Stefan Meier

.... : Marika Sandro (208313)

.... : Schulische Leistungsunterschiede zwischen Mädchen und Jungen

.... : 25.06.20..

In der heutigen Sitzung soll die Frage behandelt werden, inwiefern sich die Leistungen von Mädchen und Jungen beim Lernen in der Schule unterscheiden.

.... stellt Prof. Meier die Forschungslage dar: Jungen sind Mädchen in den Bereichen Mathematik und Naturwissenschaften allgemein überlegen. In Teilbereichen allerdings sind Mädchen stärker als Jungen, z. B. in der Wahrscheinlichkeitsrechnung. Die einzelnen Teilbereiche sind auf einem Handout dargestellt (siehe Anhang). (1)........................... stellt ein Seminarteilnehmer die Frage, (A)........................... .... Prof. Meier erläutert, (B)........................... .... Die Ergebnisse der Studie könnten aber weitestgehend auch auf jüngere bzw. ältere Kinder und Jugendliche übertragen werden.

(2)........................... Darstellung der Forschungslage erläutert Prof. Meier die beiden relevanten Erklärungsansätze:

    a) „Nature-Ansatz": Die Leistungsdifferenzen werden durch biologische Faktoren verursacht.
    b) „Nurture-Ansatz": Die Unterschiede sind umweltbedingt.

Im Seminargespräch wird anschließend über diese beiden Ansätze diskutiert, die Hauptursachen werden herausgestellt: Der „Nature-Ansatz" ist auf die unterschiedliche Funktionsweise der Gehirnhälften bei weiblichen und männlichen Gehirnen zurückzuführen. Der „Nurture-Ansatz" basiert dagegen auf den unterschiedlichen Erziehungsmethoden bei Mädchen und Jungen.

(3)........................... wird in Gruppenarbeit über Möglichkeiten gesprochen, die Leistungsunterschiede zwischen Jungen und Mädchen auszugleichen. Die Ergebnisse werden hinterher im Plenum präsentiert. Am häufigsten genannt werden folgende Punkte:

- spezielle Förderung von benachteiligten Gruppen (z. B. Mädchen in naturwissenschaftlichen Fächern, Jungen in Teilbereichen),
- Aufklärung und Weiterbildung der Lehrpersonen,
- Aufklärung der Eltern,
- angepasste Lehrmaterialien.

Die folgende Frage kann in dieser Sitzung noch nicht geklärt und soll nächste Woche besprochen werden:
- Welchen Einfluss hat die Motivation auf die Leistungsunterschiede?

Literatur
STANAT, Petra; KUNTER, Mareike: Geschlechterspezifische Leistungsunterschiede bei Fünfzehnjährigen im internationalen Vergleich. In: *Zeitschrift für Erziehungswissenschaft* 5 (2002), S. 28–48

Anhang
Handout der Präsentation

26.06.20.., Marika Sandro

Ein Protokoll strukturieren

1 Ergänzen Sie den Protokollkopf auf Seite 76 mit den folgenden Begriffen.

Datum   Ort   Protokollantin   Seminar   Seminarleitung   Thema

2 Mit *zuerst – dann – danach – schließlich* können Sie Ihre Aussagen in eine zeitliche Reihenfolge bringen. Ordnen Sie die folgenden Synonyme diesen Begriffen zu.

~~abschließend~~   als Erstes   als Nächstes   am Ende

anschließend   im Anschluss an   im Folgenden   nachfolgend

zum Schluss   zunächst   zu Beginn des/der

zuerst

dann

danach

abschließend   schließlich

3 Bringen Sie die Sätze mithilfe der Wörter aus Aufgabe 2 in eine sinnvolle zeitliche Abfolge und schreiben Sie einen zusammenhängenden Text. Verwenden Sie dafür ein gesondertes Blatt Papier.

> Die Ergebnisse der Diskussion werden zusammengefasst.
> Die Inhalte der letzten Sitzung werden wiederholt.
> Die grundlegenden Theorien zum Lesenlernen werden in Gruppen erarbeitet.
> Das neue Thema „Unterschiede zwischen Jungen und Mädchen beim Lesenlernen" wird erläutert.

4 Ergänzen Sie die nummerierten Lücken im Protokoll auf Seite 76 mit Wendungen aus Aufgabe 2.

5 Welche der Anhänge sind für ein Protokoll sinnvoll? Kreuzen Sie an.

> „Anhand der Fotos erläutert Prof. Jahn die unterschiedlichen Verhaltensweisen von Mädchen und Jungen während des Rechnens (siehe Anhang)."   ○
> „Dieser Punkt wurde ausführlich erläutert (siehe handschriftliche Notizen im Anhang)."   ○
> „Der Referent beschreibt anschließend die einzelnen Testfragen (siehe Handout im Anhang)."   ○
> „Die Theorie wird von Krause sehr interessant formuliert. Ein Teilnehmer liest die Textstelle vor, die auch diesem Protokoll anhängt."   ○

Ein Protokoll ausformulieren

1 Lösen Sie die Nominalisierungen auf und schreiben Sie Sätze.

> Wichtigkeit des Ausgleichs der Unterschiede zwischen Jungen und Mädchen

....

> Ausprägung der Lernmotivation unterschiedlich

....

> Lernfähigkeit bei Mädchen besser

....

> Entwicklung neuer Lehrmaterialien notwendig

....

2 Schreiben Sie passende Sätze zu den folgenden Notizen.

> Biologie: Leistungen Mädchen **>** Jungen

....

....

> Interesse Jungen an naturwissenschaftlichen Themen größer $\longrightarrow$
> bessere Leistungen im Chemie- und Physikunterricht

....

....

> Lernprozess: Mädchen $\longrightarrow$ $\longleftarrow$ Jungen

....

> Interesse Jungen: Chemie **//** Interesse Mädchen: Biologie

....

Aus den Notizen Ihrer Mitschrift müssen Sie nun einen zusammenhängenden Text erstellen:

- Lösen Sie Ihre Abkürzungen, Nominalisierungen und Zeichen auf und formulieren Sie aus den Informationen ganze Sätze.
- Stellen Sie die zeitliche Abfolge der Veranstaltung mit passenden Begriffen dar.

Kennzeichnen Sie Redebeiträge mit Formulierungen wie „Eine Teilnehmerin stellt die Frage …" oder „Prof. xy erklärt …". Die Redebeiträge werden dann durch die indirekte Rede wiedergegeben. Geben Sie in Ihrem Protokoll einen neutralen und objektiven Überblick über die Veranstaltung. Folgendes sollten Sie vermeiden:

- wertende und persönliche Kommentare
- die „ich"-Form
- Namen von Teilnehmenden (Ausnahme: Veranstaltungsleiterin/ Veranstaltungsleiter).

3 Formulieren Sie die folgenden Aussagen in der indirekten Rede und fügen Sie sie im Protokoll auf Seite 76 in die mit (A) und (B) gekennzeichneten Lücken ein.

> „Zeigen sich die Leistungsunterschiede nur in einem bestimmten Alter oder sind sie unabhängig vom Alter?"
> „Diese Unterschiede wurden speziell bei 15-jährigen Schülerinnen und Schülern festgestellt. Die Ergebnisse der Studie können aber weitestgehend auch auf jüngere beziehungsweise ältere Kinder und Jugendliche übertragen werden."

4 Welche der Formulierungen können Sie in Ihrem Protokoll verwenden? Kreuzen Sie an.

> „Die Studentin Schmidt fragt, …"   ◯
> „Meine Meinung zu diesem Thema ist, …"   ◯
> „Die Aufgabe war richtig kompliziert."   ◯
> „Im Plenum wurde das Ergebnis diskutiert."   ◯

> „Die Übung wird zu zweit bearbeitet."   ◯
> „Das wird wohl nächstes Mal besprochen."   ◯
> „Dr. Gers erklärt, dass …"   ◯
> „Es wird der Vorschlag gemacht, …"   ◯

5 Schreiben Sie ein Protokoll auf Basis Ihrer Mitschrift von Seite 75. Erstellen Sie zunächst den Protokollkopf.

Universität Bremen
....
....
....
....
....

von Seite 75

6 Formulieren Sie nun den Textteil. Die vorgegebenen Informationen helfen Ihnen dabei.

Thema:
....
....

Am Anfang der Sitzung stellt Prof. Meier den Leseverständnistest von PISA (Programme for International Student Assessment) vor.
....
....
....

Ein Seminarteilnehmer stellt die Frage,
....
....
....

Anschließend
....
....
....
....

Die folgende Frage konnte
....
....
....

Anhang:

> **EIN PROTOKOLL FORMULIEREN**
>
> In einem Protokoll geben Sie alle Inhalte wieder, die zu einer wirklichkeitsgetreuen Darstellung der Veranstaltung notwendig sind. Dazu gehören:
> - Fragestellungen
> - Arbeitsschritte
> - relevante Redebeiträge
> - Unterrichtsaktivitäten (z. B. Diskussionen)
> - Ergebnisse
> - offene Fragen

Relevante Inhalte für einen Praktikumsbericht erkennen

1   Welche Notizen könnten für den Praktikumsbericht eines Medizinstudenten relevant sein? Kreuzen Sie an und diskutieren Sie die Ergebnisse.

☐ Bus hatte heute morgen Verspätung ⇒ 10 Minuten zu spät; die anderen waren schon da. Peinlich!

☐ 9–12 Uhr: Heute zum ersten Mal den Chefarzt bei der Visite begleitet. Sehr interessant!

☐ Dr. Stein fragte mich nach meiner Meinung zum Krankheitsbild: Meine Diagnose war richtig!

☐ Die Kantine ist wirklich schlecht! Morgen unbedingt belegte Brötchen mitbringen.

☐ Erster Tag in der Hautklinik: Zum ersten Mal sehe ich wirklich eine Patientin mit Atopie. Sah anders aus als im Lehrbuch. Dr. Stein erklärte mir die Therapie.

☐ Ich merke, dass *Hautarzt* nicht das Richtige für mich ist: Das Aussehen mancher Patienten macht mir zu schaffen; ich träume nachts viel und kann schlecht schlafen.

2   Notieren Sie, was für ein Protokoll (vgl. Infokasten Seite 78) und für einen Praktikumsbericht zu beachten ist.

	Seminarprotokoll	Praktikumsbericht
Ich-Form	vermeiden	erlaubt
eigene Erfahrungen		
objektiver Stil		
Namensnennungen		

3   In welcher Reihenfolge könnten die folgenden Themen in einem Praktikumsbericht behandelt werden? Ordnen Sie die Gliederungspunkte. Über einen Punkt wird normalerweise nicht berichtet.

☐ Fazit: Einfluss des Praktikums auf das Studium und die Berufsplanung

☐ Begründung der Motivation für das Praktikum

☐ Beschreibung der aufgetretenen Probleme und deren Lösung

☐ Beschreibung der Ergebnisse des Praktikums

☐ Beschreibung der Beziehungen der Mitarbeiter zueinander

☐ Beschreibung des Bezugs zum Studium

1 Beschreibung des Praktikumsplatzes

☐ Beschreibung der Tätigkeit während des Praktikums

☐ Kurzvorstellung des Praktikantenbetreuers

Sprachliche Mittel für einen Praktikumsbericht anwenden

1 Schreiben Sie anhand der Notizen, die sich ein Student vor Beginn seines Praktikums gemacht hat, eine kurze Einleitung. Die Sprachmittel auf Seite 90 können dabei behilflich sein.

> Praktikum:
> 1.5.–30.5.20..
> – Klinik der Uni Mainz
> – Abt. Hautklinik
> – melden bei Dr. S. Gruber
> (Arbeitsgruppe Neurodermitis)
> – Tel. 06131 17-1238
> zur Vorbereitung lesen:
> Gruber, Stefan: Einführung in die
> Behandlung von Neurodermitis.
> Berlin : Läufer Verlag 2014

2 Versuchen Sie, mithilfe der Sprachmittel auf Seite 90 möglichst viele Varianten der Einleitung zu schreiben. Benutzen Sie dafür ein gesondertes Blatt Papier.

3 Im Hauptteil Ihres Praktikumsberichts beschreiben Sie, was Sie während des Praktikums gemacht haben. Die folgenden Verben und Substantive eignen sich für die Beschreibung von typischen Tätigkeiten. Schreiben Sie geeignete Nummern-Buchstaben-Kombinationen in das passende Feld. Zu einigen Substantiven passen mehrere Verben und zu einigen Verben passen mehrere Substantive. Schlagen Sie ggf. in einem Deutsch-Deutschen-Wörterbuch nach.

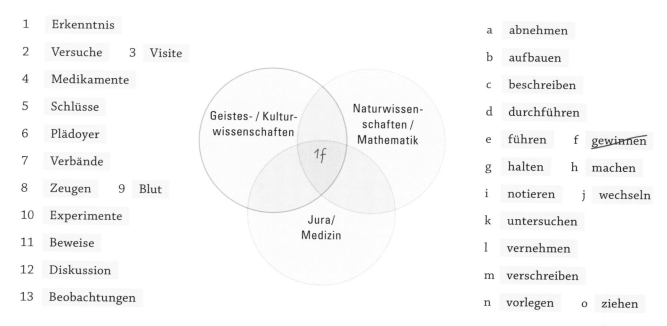

1 Erkenntnis

2 Versuche   3 Visite

4 Medikamente

5 Schlüsse

6 Plädoyer

7 Verbände

8 Zeugen   9 Blut

10 Experimente

11 Beweise

12 Diskussion

13 Beobachtungen

a abnehmen

b aufbauen

c beschreiben

d durchführen

e führen   f ~~gewinnen~~

g halten   h machen

i notieren   j wechseln

k untersuchen

l vernehmen

m verschreiben

n vorlegen   o ziehen

Geistes- / Kulturwissenschaften

Naturwissenschaften / Mathematik

1f

Jura/ Medizin

4 Notieren Sie auf einem gesonderten Blatt Papier weitere Substantiv-Verb-Kombinationen für Ihr Fachgebiet. Wer findet die meisten Verbindungen?

Montag 24

Beginn des Praktikums:
9h: erste Besprechung mit anderen Prakti-
kanten und Praktikumsbetreuer (= Dr. Stein)
- unsere Aufgaben: Begleitung bei tägl Visiten
(vormittags)
- Hospitation bei Sprechstunden (nachmittags)
10h – 12h: Besichtigung der Station u Vorstellung d anderen Mitarbeiter; anschl Kantine ☺

Praktikum Hautklinik
24.–29.

14–16: erste Hospitation:
- viele Patienten mit
Atopie
- viele Patienten: Aller-
gien
🡒 interessant
→ mehr zu Atopie lesen!

Dienstag 25

Bus Verspätung –D 10 Minuten zu spät: peinlich!
9:30h – 12h Visite
- Patient: schwere Verbrennungen; Krankenschwestern (KS): Wechsel der
Verbände; Dr. Stein erklärt Therapie
- Patient: Operation nach Hautkrebs im Gesicht –D Operation nur Chef-
arzt; Dr. Stein erklärt Operationsmethode: Kürettage (nachlesen!)
14h – 16h: Sprechstunde
- Kind: Zeckenbiss mit Entzündung; KS nimmt Blut ab
- Frau: Hautmilben (Behandlung mit Antiskabiosa-Creme)

Brötchen + Müsli-
riegel mitnehmen

alle anderen heute
Allergiefälle –
Tests macht Dr.
Wiegand

Mittwoch 26

Visite:
- neue Patientin: Frau (86), bettlägrig –D schwere Verletzung durch
Wundliegen (Dekubitus Grad 3); bisher nur Lehrbuch, zum ersten Mal in
Realität (mir wird etwas schlecht …) –D Dr. Stein erklärt Therapie:
feuchte Verbände, alle 2 Stunden wechseln, Spülung mit Natriumchlorid
- andere Patienten auf dem Weg der Besserung
Nachmittag: keine Sprechstunde
- Bibliothek: Fachbücher zu Atopie und Kürettage
ausgeliehen –D intensive Lektüre; noch viele Wissenslücken

19h: Kneipe mit
anderen Praktiktn.

Donnerstag 27

Visite (macht heute Dr. Faht):
- Kontrolle Dekubitus-Patientin: schwere Wunde, noch keine Veränderung,
Verband wird zweistündlich gewechselt + Patientin immer umgelagert
(Krankenschwestern leisten tolle Arbeit!)
- Wunde sieht schrecklich aus (ich kann kaum hinschauen)
- andere Patienten Verbrennung –D an einigen Stellen kam es zu einer
Entzündung (Antibiotika); Hautkrebs –D auf dem Weg der Besserung
Sprechstunde:
Sonnenbrandpatient! (Einige haben wohl immer noch nicht verstanden, dass
zu viel Sonne schädlich ist!)

Freitag 28

Visite:
- Dekubitus-Patientin: immer noch keine Veränderung (zum Glück muss
ich nichts machen!)
- Verbrennung: Antibio scheinen zu wirken; P geht es besser
- Hautkrebs-P.: wird heute entlassen; Wunde gut verheilt
Sprechstunde:
- Dr. Stein fragt mich nach Diagnose –D Fusspilz: Richtig! Therapie: Dr.
Stein verschreibt Salbe und Tabletten
- viele Allergiker

Samstag 29

Abschlussbesprechung:
- Dr. Stein fragt alle nach Meinung
–D Ich: möchte nicht Hautarzt werden;
zu sensibel; Krankheitsbilder verfolgen
mich im Schlaf; träume viel und
schlecht; lieber anderes Fachgebiet
- nächste Woche: Kinderabteilung!

 ID-Karte abgeben

Trotz allem:
Interessante Erfahrung! Schön,
anderen Menschen zu helfen
Arzt ist ein toller Beruf!

Einen Praktikumsbericht formulieren

1   Schreiben Sie mithilfe der Notizen aus Aufgabe 1 auf Seite 81 und dem Kalender auf Seite 82 einen Praktikums-
    bericht.

(Einleitung: allgemeine Informationen zum Praktikum)

(Vorstellung des Praktikumsplatzes und des Betreuers)

(Hauptteil: Tätigkeitsbeschreibung, Darstellung der Erweiterung von Fähigkeiten und Kenntnissen)

(Selbstreflexion)

(Schluss: Einfluss des Praktikums auf das Studium)

Arbeitstechniken wiederholen

1 Welche Aussagen über Protokolle sind richtig? Kreuzen Sie an.
Infokästen Seite 72, 73

> Es gibt verschiedene Arten von Protokollen. Bei manchen Protokollen ist nicht wichtig, wie ein Ergebnis
> erreicht wurde, sondern es wird nur aufgeschrieben, welches Ergebnis erreicht wurde. ○

> Ein Seminarprotokoll dient dazu, den genauen Verlauf der Diskussionen in einem Seminar festzuhalten,
> damit Teilnehmer, die z. B. krank sind, nachlesen können, was während ihrer Abwesenheit gemacht wurde.
> Dazu ist es wichtig, den Verlauf der Diskussionen in dem Seminar möglichst wörtlich aufzuschreiben. ○

> In naturwissenschaftlichen Fächern muss man öfter Versuche machen. Die einzelnen Schritte dieser
> Versuche werden in einem Versuchsprotokoll notiert, um später die Ergebnisse der Versuche für andere
> Forscher nachvollziehbar zu machen oder um selbst eventuelle Fehler überprüfen zu können. ○

2 Lesen Sie den Ausschnitt aus dem Vortrag über die PISA-Studie innerhalb eines pädagogischen Seminars. Ergänzen Sie den Kopf und fertigen Sie Notizen für ein Seminarprotokoll an. Benutzen Sie dafür ein gesondertes Blatt Papier.
Infokästen Seite 74, 77

„... Das *Programme for International Student Assessment*, kurz PISA, wird weltweit alle drei Jahre durchgeführt. Dabei werden insbesondere die Leistungen, Lernmotivation, Selbsteinschätzung und Lernstrategien von 15-jährigen Schülerinnen und Schülern untersucht. Es ist also nicht so wichtig, welche Inhalte der Lernpläne die Schüler reproduzieren können, vielmehr geht es eher um die Fähigkeit, in der Praxis das Erlernte anzuwenden. Die Tests der PISA-Studien sind daher von einer pragmatischen Intention geleitet. An dem Test nehmen etwa 510.000 Versuchspersonen der Zielgruppe teil, die nach dem Zufallsprinzip ausgewählt werden. Insgesamt umfasst die Zielgruppe ca. 28 Millionen Schülerinnen und Schüler in den 65 Teilnehmerländern. Der Test dauert in der Papierversion zwei Stunden. Für einige Länder wurde zusätzlich ein computergestützer Test entwickelt, der in 40 Minuten die Kompetenz der Teilnehmer in Mathematik, Lesen und Problemlösen testet. ...“

.... : Pädagogische Hochschule Zug   .... : Leistungsmessung an Schulen

.... : Prof. Dr. Kron   .... : 2.6.20..

.... : Frédéric Thibaut

Zu Beginn der Seminarsitzung hören wir ein Referat über die PISA-Studien.

3 Ordnen Sie die Inhalte den verschiedenen Teilen eines Praktikumsberichts zu.
Infokasten Seite 80

> Kanzlei Huber und Partner
> Vormittags hatte ich immer Hospitationen am Gericht.
> Plädoyers in einem Strafprozess hatte ich bislang noch nicht gehört.
> Ich bin sicher, dass ich nach dem Examen nicht in der Verwaltung arbeiten möchte.

> Darstellung der Tätigkeiten
> Darstellung neuer Erkenntnisse/Erfahrungen
> Vorstellung des Praktikumsplatzes
> Bezug zum weiteren Berufsweg

Anhang

Zu Seite 65, Aufgabe 1: Vortrag über das *Land-See-Windsystem*

Liebe Kommilitoninnen und Kommilitonen, sehr geehrter Herr Professor Uhl,

in meiner Präsentation möchte ich innerhalb der Reihe der kleinräumigen Windsysteme das *Land-See-Windsystem* vorstellen. Weitere Windsysteme könnt ihr auf der Präsentationsfolie sehen. Über die werden die anderen Mitglieder unsere Gruppe danach noch sprechen.

Das *Land-See-Windsystem* ist ein Windphänomen, das an fast jeder Küste der Erde in dieser Weise auftritt und das vielleicht auch viele – unbewusst – beim Urlaub am Meer schon einmal selbst erfahren haben: Tagsüber weht der Wind vom Meer zum Land. Abends und nachts ändert sich dann die Richtung des Windes: Er weht vom Land zum Meer.

Wie kommt das?

Diese Grafik veranschaulicht das Prinzip der Luftströmung während des Tages. Ihr findet die Grafik auch auf dem Handout als Grafik 1.

Während des Tages heizt sich durch die Sonneneinstrahlung das Land stärker auf als das Meer. Die warme Luft steigt auf und es entsteht ein Unterdruck. Dieser Unterdruck wird ausgeglichen durch das Nachströmen von kälterer Luft vom Meer. Das ist der Grund dafür, dass am Tag der Wind vom Meer zum Land weht. Man nennt diesen Wind *Seewind*.

Auf der folgenden Grafik könnt ihr sehen, warum die Luftströmung abends und nachts in die Gegenrichtung umschlägt. Auf dem Handout ist das die Grafik 2: Am Abend und nachts erkaltet das Festland schneller als das Wasser. Die Luft über dem Meer bleibt noch warm und steigt daher schneller auf als über dem Land: Es kommt zu einem Unterdruck über dem Meer. Zum Ausgleich fließt dann die Luft vom Land zum Meer: Dieser Wind wird *Landwind* genannt.

Seewinde sind in der Regel stärker als Landwinde, da die Temperaturunterschiede am Tag größer sind als am Abend und in der Nacht.

Ein wichtiger Fachbegriff in diesem Zusammenhang ist der Begriff der *Konvergenz*: Er besagt, dass Luftmassen mit einem hohen Luftdruck – ihr seht das Prinzip auf dem Schaubild hier – sich in Richtung der Luftmassen mit niedrigem Luftdruck bewegen, bis die unterschiedlichen Druckverhältnisse ausgeglichen sind. Die Definition findet ihr auch auf dem Handout.

Konvergenz ist die Kraft, die hinter der Luftbewegung, also hinter dem Wind, steckt. Nur deshalb weht überhaupt Wind.

Wenn wir uns nun dieses Prinzip für das *Land-See-Windsystem* überlegen, können wir aus der Bewegung der Luft erschließen, wo jeweils Hochdruck- und Tiefdruckverhältnisse herrschen. Ihr seht das auf dieser Folie. Die gleiche Grafik gibt es auch auf dem Handout.

Damit bin ich mit der Erklärung des *Land-See-Windsystems* am Ende. Auf der letzten Folie seht ihr noch die Literatur, auf die ich mich bezogen habe. Habt ihr noch Fragen? (...)

Als Nächstes kommt dann João, der über den *Föhn* spricht.

Unser Thema heute sind Leistungsunterschiede zwischen Jungen und Mädchen beim Lesen. Ich möchte speziell auf die Frage eingehen, welche spezifischen Stärken und Schwächen Mädchen und Jungen beim Lesen von verschiedenen Textsorten aufweisen und inwiefern die Motivation eine Rolle spielt.

Zuerst stelle ich Ihnen die Methode vor, mit der die Leistungsunterschiede im Lesen festgestellt wurden. Es handelt sich um einen Leseverständnistest, der im Rahmen des *Programme for International Student Assessment*, kurz PISA, eingesetzt wurde. Folgende Aspekte beim Lesen werden getestet: Die Schülerinnen und Schüler sollen 1. Informationen aus dem Text ermitteln, 2. den Text interpretieren und 3. die Informationen reflektieren und bewerten. Diese Leistungen werden sowohl bei kontinuierlichen als auch nicht-kontinuierlichen Texten getestet. Ja, Sie haben eine Frage, Herr Fechner? (...) Sie möchten den Unterschied zwischen kontinuierlichen und nicht-kontinuierlichen Texten wissen. Gerne: Bei kontinuierlichen Texten handelt es sich um durchgehend geschriebene Texte, nicht-kontinuierliche Texte sind durch Abbildungen, Tabellen oder Ähnliches unterbrochen. Die Studie wurde mit 175.000 15-jährigen Schülerinnen und Schülern aus 31 Staaten durchgeführt. Eine genaue Beschreibung der Studie finden Sie im Handout.

Im Folgenden werde ich Ihnen die Ergebnisse der Studie kurz darstellen: Wie Sie auf der Folie sehen können, haben die Mädchen in allen Teilnehmerstaaten höhere Werte im Lesetest erzielt als die Jungen. Die Leistungsunterschiede sind damit deutlich größer als in der Mathematik und den Naturwissenschaften. Schauen wir uns als Nächstes an, welche Stärken und Schwächen sich hier feststellen lassen. In den ersten drei Bereichen, also Ermitteln von Informationen, Interpretieren sowie Reflektieren und Bewerten schneiden die Mädchen immer besser ab als die Jungen. Die Differenzen sind allerdings unterschiedlich ausgeprägt. Wie Sie in der Tabelle im Handout sehen können, ist der Unterschied in der Leistung zwischen Mädchen und Jungen beim Reflektieren und Bewerten am größten. Bei der Unterscheidung zwischen den beiden Textformaten ist die Leistung der Mädchen bei kontinuierlichen Texten deutlich besser als bei nicht-kontinuierlichen Texten.

Zum Schluss möchte ich auf die Frage eingehen, welchen Einfluss die Motivation auf die Leistungsunterschiede beim Lesen hat. Die Studie zeigt, dass Mädchen generell mehr Interesse am Lesen aufweisen als Jungen. Die Aussage „Ich lese nur, wenn ich muss" haben 46 % der Jungen und 26 % der Mädchen mit „Ja" beantwortet. Die Aussage „Lesen ist eines meiner liebsten Hobbys" haben 25 % der Jungen und 45 % der Mädchen mit „Ja" beantwortet. In Deutschland sind die Unterschiede mit 52 % zu 26 % bzw. 17 % zu 41 % noch ausgeprägter.

Inwiefern kann sich nun das Interesse auf die Leistungen auswirken? Sprechen Sie mal ein paar Minuten miteinander. Wir sammeln dann anschließend Ihre Ideen.

(...)

Gut, wir fassen zusammen: Das Interesse hat einen starken Einfluss auf die Leistung beim Lesen. Vor allem bei Aufgaben, die eine Interpretation des Textes erfordern. Die Unterschiede in der Leistung zwischen Jungen und Mädchen reduzieren sich erheblich, wenn man die jeweiligen Interessen berücksichtigt. Jungen sind in Ihren Leistungen bei nicht-kontinuierlichen Texten den Mädchen sogar leicht überlegen. Allerdings schneiden die Mädchen beim Reflektieren und Bewerten immer noch deutlich besser ab als die Jungen.

(...)

Jetzt sind wir schon wieder am Ende der Stunde. Was wir heute noch nicht besprechen konnten, ist die Frage, wie die Leistungsunterschiede beim Lesen ausgeglichen werden können. Machen Sie sich dazu bis nächste Woche mal ein paar Gedanken.

Sprachmittel: Zusammenfassung

Einleitung

In einen Zusammenhang einordnen

- Der Text ist aus dem Buch / aus der Zeitschrift ...
- Der Text ist ein Kapitel aus dem Buch ...
- Der Aufsatz wurde in dem Band ... veröffentlicht.

Autoren nennen

- Die Autorin ist Professorin an ...
- Der Autor ist der Leiter des ...-Instituts.
- Der Text wurde von ... verfasst.

Einen allgemeinen Überblick geben

- Der Autor beschäftigt sich mit der Frage, ob ... / warum ... / wie ...
- Der Text handelt von ...
- Das Hauptthema des Textes ist ...
- ...: Das ist die Frage / das Problem, die/das dem Text zugrunde liegt.

Hauptteil

Eine Argumentationskette darlegen

- Zunächst *beschreibt* der Autor ...
- Dann *geht* sie auf ... *ein*.
- Anschließend *untersucht* sie ...
- Schließlich *begründet* er ...
- Abschließend *begründen* sie, warum/wie ...

Die Meinung einer Autorin / eines Autors wiedergeben

- Der Autor ist der Meinung, dass ...
- Die Autorin schreibt, dass ...
- Der Autor befasst sich in seinem Aufsatz mit ...
- Die Autorin stellt sich die Frage, / untersucht, ob/warum/wie ...
- Die Autoren setzen sich mit dem Problem des/der ... auseinander.

Die Schlussfolgerung in einem Text darlegen

- Die Verfasser kommen zu dem Schluss, dass ...
- Auf der Grundlage der geschilderten Voraussetzungen, schließt die Autorin, dass ...
- Die vorliegenden Zahlen lassen den Autor folgern, dass ...
- Damit ist bewiesen, dass ...

Schluss

Abschließend zusammenfassen

- Die Verfasser können in ihrem Text zeigen, dass ...
- Der Autor führt den Nachweis, dass ...
- Abschließend lässt sich sagen, dass die Autoren ...
- Nach der Lektüre des Textes lässt sich die Ausgangsfrage beantworten: ...

Eine Bewertung für persönliche Zwecke schreiben

- Leider bleiben auch nach der Lektüre des Textes noch Fragen offen, z. B. warum/wie/ ...
- Der Verfasser konnte nicht zeigen, warum/wie ...
- Für die Präsentation/Abschlussarbeit/Seminararbeit sind vor allem die Teile/Kapitel über ... geeignet.

Sprachmittel: Hausarbeit

Einleitung

Das Thema nennen und näher bestimmen

- Das Thema dieser Arbeit ist ...
- Die vorliegende Arbeit beschäftigt sich mit ... / thematisiert ... / setzt sich mit ... auseinander / widmet sich ... / behandelt die Frage, ob/wie ...
- In der vorliegenden Arbeit geht es um ...
- ... soll in dieser Arbeit nachgegangen werden.
- Der Schwerpunkt der Untersuchung liegt in der Arbeit auf ...
- Die Analyse beschränkt sich dabei auf ...

Die Abfolge der Argumentation beschreiben

- Zuerst / Zunächst / Zu Beginn der Arbeit ...
- Dann / Danach / Anschließend / Im Anschluss daran / Daran anschließend / Im Folgenden / Im folgenden Kapitel / Als Nächstes ...
- Abschließend / Zum Schluss / Schließlich ...

Die Inhalte präsentieren

- In der vorliegenden Arbeit soll ... dargestellt werden.
- In dieser Arbeit werden Informationen über ... gegeben.
- In der Arbeit wird ein Überblick / eine Übersicht über ... gegeben.
- In dieser Untersuchung wird/werden ... aufgeführt/ näher betrachtet / geschildert / erklärt / erläutert / dargestellt / untersucht / beschrieben / verglichen / überprüft.
- Im Folgenden wird auf ... näher eingegangen.

Hauptteil

Auf folgende Kapitel hinweisen

- Das folgende Kapitel beschäftigt sich mit ...
- ... soll/sollen im Folgenden dargestellt werden.
- Im nächsten/folgenden Kapitel ...

Auf vorangegangene Kapitel rückbeziehen

- Wie im dritten Kapitel / im vorherigen Kapitel beschrieben wurde, ...
- Wie im vorherigen Kapitel erwähnt, ...
- Im dritten Kapitel / Im vorherigen Kapitel wurde bereits dargestellt, ...

Absätze verbinden

Begründen/Erklären
- Dies ist deshalb richtig, weil ...
- Die Begründung dafür ist ...

Einschränken
- Die Ausführungen von ... sind nur richtig, wenn ...
- Dieser Aussage kann nur teilweise zugestimmt werden.
- Sofern man annimmt, dass ...

Exemplifizieren
- Als Beispiel für das Gesagte lässt sich anführen: ...
- Die folgenden Beispiele zeigen, dass ...

Folgern
- Man kann also feststellen, dass ...
- Aus dem vorher Gesagten ergibt sich, ...
- Daraus folgt, dass ...

Hinzufügen
- Nicht nur, ... sondern auch ...
- Dazu muss berücksichtigt werden, dass ...
- Hinzugefügt werden muss ...

Vergleichen
- Einerseits werden die Experimente anerkannt, andererseits ...
- Ebenso/Genauso wichtig wie die angeführten Argumente von ... sind ...
- Im Vergleich / Im Gegensatz dazu ...

Widersprechen
- Die in dem Buch ... aufgeführten Zahlen sind keinesfalls richtig, denn ...
- Die im vorherigen Absatz ausgeführten Thesen von ... stimmen nicht, weil ...
- Gegen diese These spricht, dass ...

Zusammenfassen
- Kurz gesagt: ...
- Zusammengefasst bedeutet das, ...
- Zusammenfassend lässt sich sagen, dass ...

Abbildungen und Tabellen beschreiben

Eigenschaften
- ... besteht aus ...
- ... ist groß/klein/hoch/niedrig/stark/schwach/ teuer/billig/günstig ...

Vergleich
- Es gibt mehr/weniger ... als ...
- ... ist größer/kleiner/höher/niedriger/teurer/ billiger/günstiger ... als ...

Position
- ... befindet sich in/auf/über/neben/ ...
- ... ist rechts/links/oben/unten/innen/außen ...

Veränderung
- ... verändert sich regelmäßig/unregelmäßig ...
- ... steigt/fällt ...
- ... reagiert auf ...
- ... wird mehr/weniger/größer/kleiner ...

Schluss

Ergebnisse zusammenfassen
- Im Fokus der Überlegungen standen ...
- Zielsetzung der vorliegenden Arbeit war ...
- Das Ziel dieser Arbeit war es, ...
- Es wurde festgestellt/dargelegt, dass ...
- Es konnte gezeigt werden, dass ...
- Abschließend / Zusammenfassend lässt sich fest- stellen, dass...

Fazit formulieren
- Daraus/Hieraus ergibt sich, dass ...
- Hier wird deutlich, dass ...
- Dies beweist/zeigt, dass ...
- Man kann zu dem Schluss kommen, dass ...
- In dieser Arbeit wurde nachgewiesen, dass ...
- Das Ergebnis der Untersuchung ist ...

Ausblick geben
- Im Hinblick auf eine weitere Ausarbeitung dieser Thematik ...
- Um diese Frage zu klären, bedarf es weiterer Untersuchungen.

Thema
- Das Thema des Textes ist ...
- Der Gegenstand des vorliegenden Artikels ist ...
- Die Autorin untersucht die Frage, ob/wie/warum ...
- Die Autoren gehen der Frage nach, ob/wie/warum ...
- Der Autor beschäftigt sich / befasst sich mit ...
- Der vorliegende Artikel beschäftigt sich mit ...
- Der Text behandelt folgendes Thema: ...
- Im Mittelpunkt des Textes steht ...
- Der Schwerpunkt der Untersuchung liegt auf ...
- Im Vordergrund der Betrachtung steht ...

Ziel/These
- Die Autoren möchten mit ihrer Arbeit zeigen/ beweisen, dass ...
- Die Intention der Autorin ist zu demonstrieren, dass ...
- Die Autoren möchten mit ihrer Untersuchung erreichen, dass ...
- Der Autor vertritt die These, dass ...
- Die Autoren stellen die These auf, dass ...
- Das Ziel dieser Arbeit ist es, ...

Methode
- Dazu verwendet sie folgende Methode: ...
- Mithilfe / Anhand von ... versucht der Autor seine Hypothese zu belegen.
- Um seine Thesen zu belegen, geht er wie folgt vor: ...
- Die Fragestellung wird auf Grundlage von ... diskutiert.

Ergebnis
- Das Resultat der Untersuchung / der Testreihe / des Forschungsprojekts ist, ...
- Die Schlussfolgerung der Autorin ist: ...
- Als Ergebnis / Als Fazit / Abschließend stellen die Autoren fest, dass ...
- Der Autor zieht folgendes Fazit: ...
- Zusammenfassend hält die Autorin fest, dass ...
- Die Autoren kommen zu dem Schluss, dass ...

Sprachmittel: Praktikumsbericht

Generelle Informationen zum Praktikum

- In der Zeit vom ... bis zum ... arbeitete ich als Praktikant/in bei ...
- Innerhalb der Firma ... war ich in der Zeit vom ... bis zum ... in der Abteilung ... tätig.
- Mein Praktikum absolvierte ich in der Zeit vom ... bis zum ... in der Abteilung/Niederlassung ... bei ...
- In der Zeit vom ... bis zum ... absolvierte ich im Rahmen meines Studiums ... mein ein-/zweimonatiges Praktikum bei ...

Vorstellung des Praktikumsplatzes

- Während meiner Praktikumszeit war ich in der Abteilung ... tätig.
- In meiner Zeit als Praktikant/in war ich der Arbeitsgruppe von Prof. ... zugeordnet.
- Die Abteilung, in der ich mein Praktikum gemacht habe, entwickelt/erforscht/kontrolliert ...
- In der Abteilung/Arbeitsgruppe, in der ich das Praktikum absolviert habe, beschäftigt man sich hauptsächlich mit ...
- In dem Labor, in dem ich mein Praktikum absolviert habe, wurde versucht ...
- Ich war dem ...-Gericht zugeordnet, an dem hauptsächlich ... verhandelt werden.

Vorstellung des Betreuers

- Frau/Herr ... kennt die Firma/Abteilung seit ... Jahren.
- Frau/Herr ... ist seit ... Jahren in der Firma/ Abteilung.
- Professor ... beschäftigt sich seit vielen Jahren ... mit .... Sie/Er hat das Standardwerk zu ... publiziert: ...
- Professor ... leitet die Arbeitsgruppe ... seit ihrer Entstehung. Er hatte die Idee, ... zu entwickeln / zu erforschen / zu untersuchen / zu beurteilen.
- Professor ... ist der Gründer der Arbeitsgruppe. Sie ist aus seinen Forschungen zu ... hervorgegangen.
- Frau/Herr Dr. ist die/der Vorsitzende des .... In dieser Eigenschaft ist sie/er auch zuständig für ... Das ist der Grund, warum ich sie/ihn als Betreuer/in meines Praktikums ausgesucht habe.

Tätigkeitsbeschreibung

- Ich war hauptsächlich damit beschäftigt, ... herzustellen / zu kontrollieren / zu überprüfen / zu beraten / zu untersuchen / ...
- Anfangs sollte ich ..., später wurde mir dann eine verantwortlichere Tätigkeit übertragen: ...
- Nach einer Einarbeitungszeit von ... Tagen/ Wochen, sollte ich eigenständig ...
- Die erste Zeit verbrachte ich damit ..., danach musste/sollte/durfte ich ...
- Zunächst habe ich .... Später konnte ich dann bei ... mitarbeiten. Am Ende meiner Praktikumszeit habe ich selbstständig ...
- Wunschgemäß wurde ich zuerst ... zugeordnet. Dort habe ich ... gemacht.
- Aufgrund meiner eigenen Initiative war es mir möglich, am Ende meiner Zeit bei ... bei dem Projekt ... mitzuarbeiten.

Darstellung der Erweiterung von Fähigkeiten

- Bei der Arbeit im Labor konnte ich erstmals ...
- Die tägliche Arbeit im Labor brachte es mit sich, dass selbst schwierige Dinge zur Routine wurden.
- Durch die tägliche Visite mit Dr. ... war es mir möglich ...
- Der tatsächliche Umgang mit ... erweiterte meine Kenntnisse über ...

Selbstreflexion

- Ich konnte während meiner Praktikumszeit bei mir feststellen, dass ...
- Während meines Praktikums ist mir klar geworden, dass ...
- Ich habe in meinem Praktikum die Entscheidung treffen können, mich mit ... weiter zu befassen.
- Ich weiß nun, dass ich nach dem Praktikum ...

Einfluss des Praktikums auf das Studium

- Durch das Praktikum bekam ich wichtige Impulse im Hinblick auf die Spezialisierung innerhalb meiner Studienrichtung. Ich werde künftig ...
- Ich habe erkannt, dass ...

Notizen

Notizen

Notizen

Literaturverzeichnis

Texte/Artikel:

AYASS, Ruth: *Kommunikation und Geschlecht : Eine Einführung.* Stuttgart : Kohlhammer, 2008, S. 41

FELDMANN, Klaus: *Soziologie Kompakt : Eine Einführung.* 4. überarb. Aufl., Wiesbaden : VS Verlag für Sozialwissenschaften, 2006, S. 27–28

HARMSEN, Thorsten: *Darum war Albert Einstein ein Genie.* http://www.berliner-zeitung.de/wissen/untersuchung-des-gehirns-darum-war-albert-einstein-ein-genie,10808894,24585534.html (Stand: 31.05.2014)

HERINGER, Hans Jürgen: *Interkulturelle Kommunikation : Grundlagen und Konzepte.* 2. Aufl., Tübingen : UTB, 2007, S. 81–85

KUNZ, Martin; VARGA-KUNZ, Simone; FEHLHABER, Karsten: *Verwenden statt verschwenden! : Nachhaltig mit Lebensmitteln umgehen.* München : Goldmann, 2013, S. 18

MARTIN, Marion: *Quallen – Faszinierende Glibberwesen.* URL: http://www.geo.de/GEOlino/natur/tiere/quallen-faszinierende-glibberwesen-65022.html (Stand: 23.01.2014)

MUSOLFF, Andreas: Sind Tabus tabu? Zur Verwendung des Wortes ‚Tabu' im öffentlichen Sprachgebrauch. In: *Sprache und Literatur in Wissenschaft und Unterricht* 60 (1987), S. 10–18

NÜCKE, Erwin; REINHARD, Alfred: *Physikaufgaben für technische Berufe.* 31., aktualisierte Auflage. Hamburg : Handwerk und Technik, 2013

REISE, Karsten: Meeresspiegelanstieg : Gefährdung flacher Küsten. In: LOZÁN, José L. u. a. (Hg.): *Warnsignal Klima: Die Meere – Änderungen und Risiken.* Hamburg : Wissenschaftliche Auswertungen, 2011, S. 134–138

ROBERTS, Leslie: Die Rückkehr der Schluckimpfung. In: *Süddeutsche Zeitung* (12.11.2013), Nr. 261, S. 17

STANAT, Petra; KUNTER, Mareike: Geschlechterspezifische Leistungsunterschiede bei Fünfzehnjährigen im internationalen Vergleich. In: *Zeitschrift für Erziehungswissenschaft* 5/2002, S. 28–48

WEBER, Christian: *Geld schafft Vertrauen.* www.sueddeutsche.de/wissen/kooperation-geld-schafftvertrauen-1.1755613.html (Stand: 09.11.2013)

Internetseiten:

http://www.deutscher-wetterdienst.de/lexikon/index.htm?ID=L&DAT=Land-Seewind-Zirkulation (Stand: 02.06.2014)

http://www.goruma.de/Wissen/Naturwissenschaft/Meteorologie/land_und_seewind.html (Stand: 02.06.2014)

http://www.geo.fu-berlin.de/met/ag/trumf/Lehre/Lehrveranstaltungen/Grenzschicht/Land-_Seewind_Zirkulation.pdf?1373749539 (Stand: 02.06.2014)

http://www.goruma.de/Wissen/Naturwissenschaft/Naturkatastrophen/Hochwasser_Ueberschwemmungen.html (Stand: 02.06.2014)

http://www.bau.uni-siegen.de/fwu/wb/forschung/projekte/mustok/abschlussbericht_1_4_mudersbach_jensen.pdf (Stand: 02.06.2014)

www1.bsh.de/de/Meeresdaten/Vorhersagen/Sturmfluten/index.jsp (Stand: 02.06.2014)

http://www.schleswig-holstein.de/KuestenSchutz/DE/03_Sylt/01_Einleitung/12_BisherigeEntwicklung/BisherigeEntwicklung_node.html (Stand: 02.06.2014)

http://www.deutscher-wetterdienst.de/lexikon/index.htm?ID=L&DAT=Land-Seewind-Zirkulation (Stand: 02.06.2014)

Für Angaben zu den Originaltexten von Götz Bolten und Jacqueline Brzinsky siehe bitte das Quellenverzeichnis.

Alle anderen bei den verschiedenen Textbeispielen im Buch genannten Quellen (Autorennamen und Titel von Aufsätzen oder Büchern etc.) sind erfunden.

Quellenverzeichnis

Cover: © Thinkstock/iStock/kate_sept2004

S. 3:   oben: links © pico/fotolia.com, rechts © djama/fotolia.com;
unten: links © Thinkstock/iStock/Olga Chernetskaya, rechts © Thinkstock/iStock/AntonioGuillem

S. 7:   A © pico/fotolia.com; B © pico/fotolia.com; C © Yantra/fotolia.com; D © Thinkstock/iStock/frender;
E © Thinkstock/iStock/Luisa Venturoli

S. 8:   A © Thinkstock/Fuse; B © Thinkstock/iStock/4774344sean; C © Thinkstock/iStock/Catherine Yeulet;
D © Thinkstock/iStock/Marcin Balcerzak; E © Thinkstock/Wavebreak Media/Wavebreakmedia Ltd

S. 12:   Porträts © lassedesignen/fotolia.com; Handzeichen © Matthew Cole/fotolia.com

S. 15:   Geographie. Physische Geographie und Humangeographie, Gebhardt, H., Glaser, R., Radtke, U., Reuber, P. (Hrsg.),
2. Aufl. 2012, Springer Spektrum © Springer Business + Science Media; Das Wetter – Beobachten Verstehen Voraus-
sagen, Brandt, Karsten © 2012 Anaconda Verlag; Klimatologie, Kuttler, Wilhelm © UTB; Witterung und Klima.
Eine Einführung in die Meteorologie und Klimatologie, Hupfer, Peter, Kuttler, Wilhelm (Hrsg.), 12., überarb. Aufl.
2006, SpringerVieweg © Springer Business + Science Media; Das Wetter vor 15 Jahren, Haas, Wolf © dtv

S. 23:   © djama/fotolia.com

S. 25/26:   Text „Aus der Mülltonne frisch auf den Tisch" von Jacqueline Brzinsky aus GEO.de, 07.07.2011; Logo mit freundlicher Genehmigung von GEO

S. 29:   © S.Kobold/fotolia.com

S. 31:   Cover Handbuch Erziehung © Verlag Julius Klinkhardt; Innentitel Politische Geschichte der Bundesrepublik
Deutschland © DeGruyter

S. 33:   Text „Genies" von Götz Bolten aus Planet Wissen; Logo mit freundlicher Genehmigung des WDR

S. 37:   A © Thinkstock/Digital Vision/John Howard; B © Thinkstock/iStock/Olga Chernetskaya;
C © Thinkstock/iStock/mareandmare

S. 50:   beide Abbildungen © Thinkstock/Dorling Kindersley

S. 51:   © Thinkstock/iStock/MarinaMariya

S. 71:   A © valentint/fotolia.com; B © Ariwasabi/fotolia.com; C © Do Ra/fotolia.com; D © Thinkstock/iStock/AntonioGuillem;
E © Smileus/fotolia.com; F © Oleksiy Mark/fotolia.com

S. 72:   A © Thinkstock/iStock/jan kranendonk; B © ojoimages4/fotolia.com; C © WavebreakMediaMicro/fotolia.com;
D © Rido/fotolia.com; E © Robert Kneschke/fotolia.com